VAPORETTO 13

Robert Girardi

VAPORETTO 13

Traduction de Jean Charles Provost

Roman

Titre original : *Vaporetto 13*

© Robert Girardi, 1997.

© Presses de la Cité, 1999, pour la traduction française.

ISBN 2-258-05060-X

Regardez-le, scrutant avec son sourire froid à
travers la vitre bleue délabrée.

Ossip Mandelstam

1

Elizabeth était allongée sur la table chromée. Ses yeux jaunes assombris par la terreur, elle haletait. Les rigoles de la table étaient zébrées de sang séché mêlé à des poils. L'air était chargé de vapeurs antiseptiques. Elle s'efforça de se lever. Je la maintins des deux mains, tandis que l'assistante lui injectait un relaxant musculaire. Elle cria légèrement lorsque l'aiguille lui traversa la peau. Une seule note, désespérée, à laquelle répondit le cri guttural et désolé d'un perroquet, de l'autre côté des minces cloisons du cabinet.

— Ils savent. Ils savent toujours, dit sombrement l'assistante en jetant l'aiguille usagée dans une poubelle métallique.

C'était une adolescente maigre aux cheveux blonds en épis. Elle portait six anneaux à chaque oreille, d'épaisses lunettes à la Buddy Holly et un collier de chien autour du cou — peut-être pour montrer sa solidarité avec les animaux. Sa blouse était maculée de taches brunes. Un badge fiché au revers la présentait comme une Amie de Peta et affirmait que Manger De La Viande Est Un Crime. Un autre badge m'incitait à Libérer les Crustacés. On y voyait un homard s'échapper d'une casserole d'eau bouillante.

— Combien de temps faut-il attendre? demandai-je d'une voix aussi calme que possible — mais je savais qu'elle pouvait déceler mon agitation.

— Du calme, monsieur Squire. Steve est en train de nettoyer ce qui reste du précédent. Plutôt dégueulasse. Un gros berger allemand qui s'est fait écraser en traversant la 95. (Elle hésita, puis son regard se détourna du mien.) Il y a des gens qui ne s'occupent pas de leurs animaux comme ils le devraient.

Elizabeth essayait d'échapper à ma prise, et je commençais à transpirer. Le relaxant musculaire ne semblait pas faire beaucoup d'effet. Soudain, une série de notes stridentes retentirent dans la poche de mon veston. Deux longues, deux courtes, deux longues, deux courtes.

— C'est un bipeur ? demanda la fille.

— Non, ce n'est pas exactement un bipeur.

— Qu'est-ce que c'est, un téléphone portable ?

— C'est ma *market watch*.

Les notes retentirent de nouveau. Une goutte de sueur se forma entre mes yeux et coula sur l'arête de mon nez. Je dus faire appel à toute ma volonté pour ne pas lâcher la chatte et jeter un coup d'œil à l'affichage digital.

— Vous auriez pu laisser ce truc chez vous, dit l'assistante en fronçant les sourcils.

— Impossible. Je suis un *FX trader*. Tout mon travail en dépend.

Elle était ébahie.

— Vous faites des effets spéciaux, comme au cinéma[1] ?

— Non.

Je m'efforçai de sourire.

— Foreign Exchange. Je travaille dans une banque d'affaires, je négocie des devises. L'agence Reuters envoie un message électronique dès qu'il se produit un événement capable d'affecter les taux de change. Alors ce petit boîtier émet un signal. Ça peut être une inondation en Chine, la mort d'un grand chef d'État,

1. FX, abréviation de Foreign Exchange (marché des changes), signifie aussi *special effects* (effets spéciaux). (*N.d.T.*)

une hausse des taux d'intérêt pour les prêts immobiliers...

Elle leva les mains.

— Hé, mec, gardez ça pour plus tard. Vous feriez mieux de vous occuper de votre chat. Prenez-le et faites-lui un câlin. Vous n'en aurez plus jamais l'occasion.

— Elle n'aime pas qu'on la prenne. Elle préfère venir d'elle-même vers les gens.

Mais un instant plus tard j'ai soulevé Elizabeth. Non sans effort : c'était une grosse femelle à poil long, moitié raton laveur, moitié on ne sait trop quoi, et elle pesait près de huit kilos. Pour une fois, elle ne protesta pas. Elle n'essaya même pas de sauter. Elle s'abandonna et posa la tête sur mon bras en ronronnant si fort que l'assistante pouvait l'entendre. Je la serrai contre le veston de mon costume Brooks Brothers à huit cents dollars. Je me sentais absolument misérable.

— Vous voyez comme c'est mignon, dit la fille. Depuis combien de temps avez-vous ce pauvre petit minou ?

— Elle a presque dix-huit ans. C'était la chatte de ma mère, dis-je très vite. Disons que j'en ai hérité à la mort de ma mère. Mais cette chatte ne m'a jamais aimé. Elle n'a jamais aimé personne d'autre que ma mère. Et elle est diabétique, maintenant, je dois lui faire des piqûres d'insuline tous les jours, c'est très difficile, vous savez, elle griffe et elle mord. Et ma fiancée est allergique aux chats, sa gorge se met à enfler dès qu'elle entre chez moi. Il y a autre chose. Ma banque m'envoie à l'étranger pour six mois.

Ma voix s'éteignit. Je reposai Elizabeth sur la table. Elle s'étala, comme une flaque de fourrure molle, et se mit à lécher ses pattes blanches.

L'assistante la regarda, puis reposa sur moi ses yeux plissés derrière les verres épais de ses lunettes.

— Vous voulez dire que vous faites piquer ce chat, alors que rien ne vous y oblige ?

— Elle est diabétique. Et elle est vieille. Combien d'années lui reste-t-il ? Six mois en pension, elle n'y survivrait pas.

L'assistante croisa les bras.

— Vous êtes ignoble, dit-elle d'une voix calme. Deux fois par semaine, j'emmène mon chat faire une dialyse rénale. Il vient d'avoir vingt ans. Et vous, vous assassinez cette pauvre bête parce qu'elle vous gêne. C'est tout simplement dégueulasse !

Je n'eus pas le temps de répondre, car le vétérinaire entrait dans la pièce. Il portait une blouse propre, les manches retroussées jusqu'aux coudes. C'était un homme très velu. Les poils lui sortaient des oreilles, et ses gros sourcils formaient un trait continu.

La fille tourna les talons et passa devant lui. Elle partit vers les portes battantes.

— Celui-là, je te le laisse, Steve. Je n'ai rien à faire ici.

Le toubib me fit un signe narquois de la tête et se dirigea vers le meuble chromé dans le coin de la pièce, où s'entassaient des pansements, compresses, forceps et autres accessoires médicaux. Il prit une longue seringue dans une boîte noire et la remplit d'une solution qui se trouvait dans un petit flacon portant un crâne et deux tibias croisés. Puis il s'approcha de la table.

— La semaine dernière, dit-il, une femme a joué du violon pendant que son chat mourait. Elle avait apporté son instrument. L'animal avait vraiment l'air d'aimer la musique. Surtout Mozart. Il est mort paisiblement. Vous voulez dire quelques mots à votre chat ?

— Non. Finissons-en.

Je maintins Elizabeth sur la table. Cette fois, elle ne résista pas. Elle roula sur le côté comme un navire échoué, et leva une patte. Elle ronronnait toujours. Le médecin tâtonna dans l'épaisse fourrure de son ventre, à la recherche d'une artère.

12

— Je préfère les piquer près du cœur, dit-il. C'est plus rapide.

Il prit un bourrelet de graisse entre ses doigts, et introduisit l'aiguille. Je fermai les yeux. Elizabeth fit un bruit aigu. Elle fut parcourue d'un frisson qui se transmit à mes doigts. Quand j'ouvris les yeux, une minute plus tard, elle vivait encore. Son souffle était devenu un halètement grinçant. Elle tourna la tête vers moi, et il me sembla que ses yeux jaunes tenaient l'explication d'un secret qui me hantait depuis la mort de ma mère. Trop tard. Je regardai la lueur s'évanouir, et sentis son corps se relâcher entre mes mains.

— Elle est morte, dit doucement le vétérinaire. Pour le cadavre, vous avez le choix. Si vous voulez conserver les cendres, nous pouvons l'incinérer lors d'une cérémonie privée pour cent soixante-quinze dollars, urne comprise. Si vous n'avez que faire des cendres, nous pouvons l'incinérer collectivement, pour soixante-quinze dollars. Ou bien...

— Combien, si je l'enterre dans mon jardin ? l'interrompis-je.

— Cinquante dollars, dit-il en fronçant les sourcils. C'est le prix de la visite.

J'ai saisi le cadavre d'Elizabeth, enveloppé dans un sac plastique bleu dont le vétérinaire m'assura qu'il était imperméable aux odeurs, et je l'ai mis dans le coffre de ma Saab Turbo.

Après avoir quitté la banque, ce soir-là, j'enfermai le tout dans une boîte à biscuits métallique, lestée avec des pierres, j'empaquetai la boîte avec du fil de haut-parleur. Puis je perçai chacune des parois à l'aide d'un tournevis. À l'heure où la dernière traînée de lumière rouge s'effaçait dans le ciel, à l'ouest, je me rendis en voiture aux quais de Southeast. À huit cents mètres de l'Arsenal, un canal étroit bifurque de l'Anacostia et finit en impasse entre un entrepôt de pneus et une usine désaffectée d'embouteillage Pepsi. L'eau du canal était noire et immobile dans la lumière artificielle.

13

Debout au bord du quai, je pris la boîte de biscuits à deux mains et je la balançai au milieu du canal. Le bruit se répercuta contre les parois de brique terne des immeubles voisins. La boîte pencha immédiatement de côté et commença à se remplir d'eau. En moins de quinze secondes, elle avait sombré et disparu. Les mains dans les poches de mon pantalon, je restai là une bonne minute, à regarder les dernières rides à la surface de l'eau, tandis qu'une lune tardive se levait au-dessus de l'entrepôt de pneus.

— Elle était vieille et malade, dis-je. Et elle ne m'a jamais aimé.

Mais ces mots ne soulagèrent pas la pression inexplicable qui me serrait le cœur, ils n'effacèrent pas la conviction secrète que j'avais commis un terrible crime. À ce moment précis, ma *market watch* retentit — deux longs, deux courts —, comme le glas de ma culpabilité. Je m'empressai de regagner ma Saab pour rentrer chez moi, à Arlington Mews. Quand je m'assis enfin à la table de la cuisine avec un Glenkinchie on the rocks et que je me décidai à consulter le petit écran digital, mes mains tremblaient. *Un agent de change assassine son chat. Dollar dégringole.* Non. *Guerre civile au Liberia. Des centaines de morts. Les combats font rage à Monrovia.*

Mauvaise nouvelle pour les crétins qui traitent en dollars libériens.

2

Pangloss était un petit établissement élégant situé sur P Street. Le restaurant, décoré de bois blanc et de tapis orientaux, ne comptait pas plus de dix tables, et le menu changeait chaque jour. À en croire le *Washingtonian*, la cuisine artisanale était du dernier chic à l'intérieur de la Beltway. La serveuse s'assit à notre table pour nous expliquer le menu. C'était une jolie fille sans maquillage. Son uniforme peu conventionnel se composait d'une robe paysanne colorée, de Birkenstocks et de boucles d'oreille faites main.

— Le poisson est très bon, ce soir. Du loup du Chili, un poisson à la chair très ferme, très frais. Et le veau est parfait. Mais je ne vous recommande pas la venaison, sauf si vous aimez vraiment le gibier. C'est une recette au coulis de framboise, qui ne dissimule pas du tout le goût faisandé.

Elle parcourut le menu avec nous, des amuse-gueule aux desserts, en commentant chaque plat avec la même franchise. Nous n'avions pas l'impression d'être les clients d'un restaurant huppé, mais les invités d'un ami passionné de cuisine.

Quand nous eûmes choisi nos mets et le vin, la serveuse alla passer commande auprès du chef. Cynthia la suivit des yeux puis elle me pinça la cuisse sous la table. Elle était en beauté. Ses cheveux noirs brillants étaient très élégamment tirés par-dessus une épaule.

15

Elle était dans une forme physique parfaite. Elle faisait du jogging et jouait au tennis, et elle avait appartenu à l'équipe féminine de la Michigan University. Elle portait une robe simple, légèrement décolletée, de soie gris-bleu. Tous les gens qui la connaissaient disaient qu'elle était un beau parti.

— Tu n'aimes pas cet endroit ? demanda-t-elle. On s'occupe de nous de manière si personnelle ! Ils veulent être absolument sûrs que nous serons contents du repas.

Warren grogna de l'autre côté de la table :

— On paie le prix pour ça. Ils ont foutrement intérêt à ce qu'on soit contents.

Karen, sa femme, frappa de son petit poing l'épaule rembourrée de son veston. Elle était déjà un peu ivre, à cause des cocktails pris au bar.

— Tu ne peux pas penser à autre chose qu'à l'addition ? Tu es un vrai con ! Regarde cet endroit. C'est charmant, non ? Parfait pour le dîner d'adieu de Jack. Tu ne crois pas, Jack ?

— Oui, dis-je. Merci de l'avoir rappelé.

— Quelle importance ? demanda Warren. C'est Capitol Guaranty qui paie la note.

La nourriture était excellente. Grâce aux conseils de la serveuse, personne n'avait pris de gibier. Les femmes parlèrent politique, un peu gauchement, puis meubles de jardin, et chiens, avec plus d'autorité. Cynthia était une femme à chiens. Elle voulait acheter un colley dès que nous serions mariés. Dès que j'aurais vendu l'appartement d'Arlington Mews pour une propriété avec un ou deux hectares de terrain et une salle de jeu, à l'extérieur de la ville, près de Herndon. « Pense un peu, Jack ! Un gros colley plein de poils, comme Lassie ! » Que répondre à cela ?

Warren et moi, nous les avons laissées prendre leur dessert. Nous nous sommes dirigés vers le bar, une demi-lune de bois blanc laqué devant la vitrine surplombant le trafic sur P Street. Il voulait parler un peu boulot devant un digestif. C'était un type bien en chair, avec un cou épais et une abondante crinière grisonnante. Il avait des antécédents sportifs : il avait joué dans l'équipe de football de l'université, à Tulane, au début des années soixante-dix. Et il adorait prononcer des laïus d'encouragement de dernière minute. Il commanda une eau-de-vie très chère à la barmaid coréenne. Celle-ci posa deux verres sur le comptoir et les remplit généreusement.

— La tournée est pour moi, dit-elle en souriant.

Mais je pouvais voir son cerveau travailler. Mieux vaut maintenir ces gros clients de bonne humeur. Warren leva son verre.

— Je suppose que je dois dire chin-chin. C'est ce qu'on fait ici, non ?

— Oui, répondis-je, chin-chin.

Le breuvage brûlait la gorge, il avait un arrière-goût amer. Il portait un nom français : Domaine de la Tour de Folie. La bouteille en forme de poisson était bleue.

— Drôle de nom, dis-je en examinant l'étiquette.

Warren eut un sourire.

— Voilà exactement pourquoi tu es mon meilleur éclaireur, dit-il. Aucun foutu détail ne t'échappe. Tes yeux voient au-delà de ton écran d'ordinateur. Il y a des types, à la salle des marchés — je ne citerai pas de noms —, qui ne voient rien d'autre que des petites flèches qui clignotent vers le haut ou vers le bas, et des symboles de dollars. Un clic, deux clics. Toi, tu vois l'ensemble du tableau. Je sais que Cindy a du mal à admettre qu'il faut reculer votre mariage. Mais la banque a besoin de toi sur place, là-bas, au moins jusqu'aux élections.

Warren dirigeait le service étranger de Capitol Guaranty, et il avait de meilleurs résultats, dans la colonne « profits », que n'importe qui d'autre dans la banque. Mais il montrait toujours le respect naïf du sportif envers quiconque avait lu un livre. En fait, il y avait des années que je n'avais lu un livre de bout en bout. Ma formation dans la section Grands Classiques au collège Saint-John d'Annapolis me valait une connaissance passable d'Aristote et de vagues notions de latin. J'étais aussi un des rares Américains à être venus à bout de l'interminable traité de William Harvey, *Exercitatio anatomica* (1628), où cet éminent docteur énonça le premier le principe de la circulation du sang.

Bien entendu, ce genre d'études produit des hommes parfaitement inadaptés au monde. J'avais réussi comme agent de change malgré Plutarque, Montaigne et les autres, en développant précisément ces qualités que l'humanisme déplore : la férocité, l'intérêt personnel, et un culte tenace pour la réussite matérielle.

— Comment va ton italien ? fit Warren en remplissant mon verre.

— Ça progresse.

En fait, j'avais à peine écouté les cassettes de Berlitz depuis que l'une d'elles s'était coincée dans le lecteur défectueux de ma Saab.

Warren se pencha vers moi.

— Ce que nous attendons de toi, Jack, c'est une analyse claire de la situation. Autant au plan politique que financier. Il nous faut des rapports mensuels, pleins d'informations juteuses. Tu sais combien leur économie est explosive. Qui sait ce qui va se passer après les élections d'avril ? Nous plaçons un homme à Milan, au Credito Italiano, et bien entendu, Bill Snead se trouve depuis longtemps au Banco di Roma. Je peux te dire que nous prévoyons une énorme pression sur la lire, à court ou moyen terme, la semaine des élections. Nous avons besoin de matière pour nous faciliter le travail. Je suis sûr que tu feras un boulot formidable.

Lorsqu'il prononça cette phrase, sa voix contenait juste ce qu'il fallait de menace.

J'avalai le reste de mon eau-de-vie, et je retournai mon verre lorsqu'il essaya de le remplir à nouveau.

— Et les transactions ? demandai-je. Que dois-je faire ?

Warren secoua la tête.

— Ne t'épuise pas sur les transactions. Tu dois rester en piste, bien sûr. Mais nous n'attendons pas que tu fasses un gros chiffre. Il s'agit d'une mission de renseignement. Le business, tu le sais, c'est l'information.

À notre table, les femmes avaient fini leur dessert. Je les vis appeler la serveuse et demander la note. Je me levai pour les rejoindre, mais Warren me retint un instant.

— Laisse-moi te donner un dernier conseil d'ami, Jack. Ouvre l'œil, dors le plus possible, et ne fous pas tout en l'air.

Alors qu'il me suivait vers la table, j'entendais le cliquetis musical des pièces de monnaie au fond de sa poche.

3

Sur P Street, la vapeur montait du trottoir. L'humidité perlait sur les pare-brise des voitures garées le long de la rue. Il ne pleuvait pas, mais le degré d'humidité devait frôler les cent pour cent. Il n'est rien de pire que la chaleur équatoriale qui règne à Washington au mois de juillet.

— C'est insupportable, dit Cynthia, en agitant la main comme un éventail. Un peu d'air !

Le gardien du parking, un Salvadorien trapu au visage aplati, nous amena la Saab dans un grincement de freins. Je lui tendis deux dollars, et nous montâmes en voiture. J'ai enclenché la climatisation, puis j'ai descendu P Street pour prendre à droite sur Rock Creek. Un quart d'heure plus tard, nous étions sur la Beltway et nous roulions vers le nord. Nous avions loué une chambre à Harper's Ferry pour le week-end. L'auberge occupait un corps de ferme deux fois centenaire surplombant le confluent de deux rivières et d'un torrent. Le Potomac, la Shenandoah et l'Antietam. C'était un des endroits favoris de Cynthia. Les chambres étaient pleines d'antiquités. Il n'y avait rien d'autre à faire que manger et faire l'amour.

— Qu'est-ce qui arrive à ce lecteur ? dit-elle tout à coup.

Elle essayait d'éjecter la cassette bloquée.

— Laisse tomber. Essaie la radio.

Elle tripota la radio pendant un moment, mais ne trouva rien à son goût. Elle finit par l'éteindre.

— Je ne devrais pas t'en parler, parce que ça pourrait valoir des ennuis à Karen. Warren t'a à l'œil. Il t'aime vraiment bien. D'après elle, ils ont l'intention de t'élever dès ton retour au poste de premier *trader*.

Elle sourit et me serra le bras. Elle avait des dents parfaites, un véritable miracle d'orthodontie.

— Pour ça, finalement, ça valait le coup de retarder le mariage, non ?

Je ne répondis pas. Cynthia et Karen avaient appartenu au même club d'étudiantes, à Michigan. J'avais fait sa connaissance deux ans et demi plus tôt dans la tente d'hôtes de la banque, lors de la Virginia Gold Cup. Les cracks de la finance, les administrateurs, leurs familles et leurs proches étaient réunis sous la toile à rayures blanc et vert pour dévorer des roulades de bacon aux crevettes, des brochettes de poulet satay et des mini-quiches, boire un champagne américain correct et regarder les chevaux culbuter sur les obstacles. C'était un bel après-midi, un océan de gazon ondulait sous la brise, le soleil était radieux. J'arborais un pimpant costume de coton et un nœud papillon. Cynthia portait une robe bain de soleil en tissu imprimé à motifs rose et bleu qui lui découvrait la naissance des seins, un chapeau de paille à large bord et de coûteuses lunettes de soleil. Nous avons parlé, bu du champagne, et nous nous sommes un peu saoulés. Ce soir-là, elle est venue chez moi, à Arlington Mews. Nous avons fait l'amour sur le tapis du salon, puis sur le grand lit dans ma chambre, à l'étage, sous le regard désapprobateur d'Elizabeth, perchée comme toujours dans la bibliothèque.

— Tu ne dis rien, Jack.

Les champs sombres de la Virginie-Occidentale défilaient, indistincts, derrière les vitres de la voiture. Les meules de foin s'alignaient, comme des juges silencieux, juste au-delà du faisceau des phares.

— Quelque chose te tracasse ?

21

— Non. Juste un peu de fatigue.

— Allons, Jack! Je sais parfaitement quand quelque chose te tracasse.

— C'est Elizabeth. Impossible d'oublier ses yeux.

Cynthia resta un moment silencieuse.

— Tu sais bien que c'était inévitable. Cesse de te torturer. Elle était vieille et malade. J'aurais pu m'en occuper, mais avec mon allergie...

— Oui, tu as raison. N'en parlons plus.

Nous arrivâmes à Harper's Ferry un peu avant minuit. On nous donna une chambre d'angle mal ventilée, avec vue sur les containers à ordures, au fond de la cour.

— Je pensais que nous aurions une chambre du côté du fleuve, dit Cynthia. Je ne peux pas respirer, ici.

Mais deux minutes plus tard, elle s'était déshabillée et dormait sur le lit surélevé et inconfortable. Je m'allongeai sur les draps, en slip et T-shirt. Beaucoup plus tard, je m'éveillai en sursaut. J'avais rêvé du vieux terrain de manœuvres de l'académie Saint-Albert, à Lincoln.

C'était la fête de l'école, le Founder's Day. Cadets en tenue de cérémonie, parents rassemblés dans les tribunes, mon père venu spécialement du Pentagone, en grand uniforme, debout, très raide pendant l'hymne national au côté du recteur, dans la loge des invités de marque drapée dans les couleurs. Mon uniforme était impeccable, mes boutons de cuivre brillaient comme de l'or, mes bottes frottées à la salive étaient de vrais miroirs. Puis, à la dernière seconde, je baissai les yeux pour constater que j'avais oublié mon pantalon. Il était trop tard pour courir le chercher aux quartiers. Le clairon retentit, le corps tout entier se mit en mouvement comme un seul homme, et moi, je marchais de gauche et de droite au milieu des autres cadets, le cul nu, mon pénis se balançant au rythme de la musique, le regard de mon père rivé sur moi. Un énorme nuage en forme de tête de chat traversa la

22

plaine, et s'arrêta au-dessus du terrain de manœuvres, aussi implacable que le Destin en personne.

Nous ne passâmes pas un week-end très agréable dans cette auberge. La chaleur était insupportable, le ciel bas et oppressant, les moustiques agressifs. Nous nous disputâmes pour des futilités, et nous ne fîmes l'amour que deux fois. J'étais à peine assez excité pour rester en elle.

— Je ne suis jamais allée à Venise, me dit-elle le dimanche matin, après le brunch. Il paraît que c'est un endroit vraiment intéressant. Je viendrai te rendre visite. Tu veux que je vienne te rendre visite ?

Je mis une seconde de trop pour trouver une réponse.

4

La banque m'avait loué une suite qui occupait tout le dernier étage du Palazzo Bragadino, un hôtel cinq étoiles situé sur le Grand Canal. Les murs étaient ornés de peintures du XVIe siècle et de mosaïques de marbre ternies par le temps. De lourdes tentures de velours bordées d'or pendaient devant la rangée de fenêtres cintrées donnant sur le va-et-vient coloré des gondoles, des vaporettos et des élégantes vedettes à coque d'acajou qui défilaient sur l'eau verte, en bas. Il fallait tirer un cordon pour appeler le service d'étage. Mais l'endroit était solennel et peu confortable. Il convenait mieux à un duc de jadis qu'à un homme d'affaires américain solitaire.

À Venise, je fus incapable de trouver le sommeil. À cause du décalage horaire, d'abord, et d'un lit étranger. Puis ce fut autre chose, de plus affreux. La beauté de la ville me tapait sur les nerfs. Chaque soir, le soleil se couchait, parfaitement circulaire, derrière le grand dôme blanc de la Salute, et teintait le canal de la Giudecca d'un fantastique rose profond. Cette lumière triste et magnifique faisait flamboyer d'une muette mélancolie les façades délicatement désagrégées des antiques palazzi. C'était insupportable. La beauté est importante, bien sûr. Entre les pages d'un livre, sur les tableaux des musées, ou dans les hautes et inaccessibles vallées montagneuses. Mais l'absorption quotidienne de tant de splendeurs peut créer des troubles de la digestion esthétique. Un banal paysage américain — chaînes de fast-food, parkings, transformateurs électriques et tours de bureaux aux façades de verre — est finalement plus reposant pour l'esprit.

J'essayais de travailler tard pour éviter ces douloureux crépuscules. Mais en Italie, il est impossible de travailler tard. Les Vénitiens appellent *ora d'oro*, l'heure d'or, le moment où la lumière mourante donne à la ville tout entière, entre six et sept heures du soir, la couleur de la mélancolie. Les cafés de la place Saint-Marc sont pris d'assaut par les touristes, les gens du pays s'installent aux comptoirs de zinc des marchands de vin près du pont du Rialto, et les étudiants se répandent sur les *fondamente* depuis les bars de la Misericordia. Mon bureau à la banque Comparini, à quelques pas au sud de la place Saint-Marc, se vidait à cinq heures et demie précises. Rester une minute de plus, c'était prendre le risque d'être enfermé jusqu'au lendemain matin.

Cela m'arriva une fois. Le mercredi de la dernière semaine d'août. Je travaillai une bonne partie de la nuit, à négocier des livres sterling à la Bourse de Tokyo, puis des lires et des francs belges à l'ouverture du marché à New York. Quand l'aube éclaira les dalles de la petite cour, sous ma fenêtre, j'étalai quelques journaux sur le sol, fis un oreiller de mon veston et m'efforçai de dormir. Je fermai les yeux et rêvai de canotage, de sombres gondoles se balançant sur l'eau d'une lagune inconnue... jusqu'au moment où Vida, ma secrétaire italienne, me réveilla. Il était huit heures et demie.

— Signor Squire ! Vous avez travaillé toute la nuit ?

Elle prononçait Squee-arhe. Je n'avais pas le cœur de la corriger. Cette femme trapue entre deux âges s'habillait simplement et portait des souliers confortables. Elle me faisait penser à une vieille tante célibataire. Je me levai de mon lit de fortune et me dirigeai vers la salle de bains. Je m'aspergeai le visage

25

d'eau froide avant de regagner mon bureau pour l'ouverture de la Bourse de Milan. Je ne me sentais pas trop mal. J'avais mieux dormi que toutes les nuits précédentes.

Les conditions de travail à la banque Comparini étaient assez peu différentes de ce dont j'avais l'habitude. Chez Capitol Guaranty, je travaillais comme tout le monde à la salle des marchés, une pièce de la taille d'un terrain de basket, pleine d'agents de change vociférants. Chacun disposait de quatre écrans et d'un standard de cinquante-six lignes. À Venise, je n'avais qu'un écran et dix lignes, et je partageais un petit bureau avec une seule autre personne, un courtier en matières premières nommé Rinio Donato. Il avait à peine trente ans. C'était un vrai Vénitien, comme son père, son grand-père, et le père de son grand-père (il avait été prompt à me faire valoir l'authenticité de ses origines). Il était très populaire à la banque, pour des raisons qui n'avaient rien à voir avec ses compétences d'agent de change. Toutes les femmes vantaient sa ressemblance avec l'acteur Vittorio Gassman — ressemblance que Rinio ne faisait rien pour démentir.

De fait, les femmes l'intéressaient beaucoup plus que le marché des matières premières. Il passait la moitié de la journée au téléphone avec un nombre indéfini de maîtresses, bien qu'il eût une épouse, d'ailleurs enceinte de six mois. Au son de sa voix, il était facile de deviner à qui il parlait. Quand il s'agissait d'interlocuteurs professionnels, c'était évident : il criait, transpirait, s'essuyait le front. Le ton câlin et tendre était réservé à son épouse légitime. Les murmures enjôleurs étaient pour les autres femmes. Un après-midi, il eut une violente discussion avec deux d'entre elles, lors de communications presque simultanées. D'après ce que je compris, il avait renoncé à ses rendez-vous avec l'une et l'autre pour sortir avec une troisième, et cette dernière avait appelé pour annuler. Lorsqu'il raccrocha enfin, il était en larmes.

— Tout va bien ? lui demandai-je.

— C'est si difficile, renifla-t-il. J'ai une amie, elle s'appelle Carlotta...

Il s'interrompit, ne sachant pas jusqu'à quel point il pouvait me mettre dans la confidence. Allais-je rapporter sa conduite à ses supérieurs, voire à sa femme ?

— Excusez-moi... Je ne veux pas vous accabler avec mes problèmes personnels.

Je souris.

— Vous savez ce que disait Pouchkine ?

Il prit un air intéressé.

— Non, je ne sais pas.

— Il est impossible de coucher avec toutes les femmes, mais il faut essayer.

Rinio se donna une claque sur la cuisse et éclata d'un rire retentissant. Il avait l'humeur aussi changeante qu'un enfant.

— C'est très bon, dit-il. Très bon !

Soudain, nous étions devenus plus que des amis. Nous conspirions ensemble, nous étions des agents secrets en mission de séduction dans la Cité des Femmes.

5

Entre trois heures et demie et six heures du matin, les péniches de ravitaillement à moteur vont et viennent le long du Grand Canal. Elles sont chargées de choux et d'œufs, de sandales en plastique, de préservatifs, de piles rechargeables, de caisses de bière, de lait, de pain frais, de papier toilette, de crayons, de fromage, des dernières éditions du *Gazzettino* et de l'*International Herald Tribune* — toutes ces choses banales qu'on doit trouver chaque matin dans une grande ville. C'est pourquoi la vie est si chère à Venise. Des produits aussi courants que les pastilles pour la gorge et le papier adhésif doivent être apportés du continent, chargés sur les péniches, puis déchargés. L'inflation vient du coût des transports.

Les chalands éboueurs succèdent aux péniches de ravitaillement, juste avant l'aube. Un de ces chalands tournait au ralenti pendant vingt minutes, chaque matin, juste sous ma fenêtre. La puanteur du diesel et celle des ordures en décomposition se mêlaient dans l'air humide de l'appartement. J'essayai de fermer les volets, de me couvrir la tête d'un oreiller, de mettre des boules Quies. J'essayai même d'étendre une couverture dans la grande baignoire de marbre et de matelasser la porte de la salle de bains avec des serviettes. Rien n'y fit. Sous l'effet conjugué de la puanteur et du bruit, je restais à demi éveillé. Une demi-heure plus tard, la vive lumière du matin inondait le canal, et il était inutile de penser à retrouver le sommeil.

Je pris bientôt l'habitude de me réveiller à trois heures du matin, anticipant ce tintamarre aquatique. Quelle que soit l'heure à laquelle je me couchais, je ne m'endormais jamais avant minuit. J'avais l'impression d'être un des chiens de Pavlov, prisonnier d'une ridicule insomnie autosuggérée. À bout de patience, je me mis à parcourir les rues aux petites heures. Tout valait mieux que de rester crispé entre des draps humides, en attendant l'arrivée inévitable du chaland, tandis que la pendule égrenait les secondes avec une lenteur exaspérante.

La meilleure façon de saisir l'âme véritable d'une ville est peut-être de marcher dans ses ruelles les plus écartées à l'heure où tout le monde dort. Je ne tardai pas à découvrir que Venise est comme une pomme qui a l'air extraordinaire de l'extérieur, mais dont l'intérieur est occupé par un asticot géant. Dès qu'on s'éloigne des façades du Grand Canal en décor de théâtre, des cafés ruineux, des campos touristiques, les rues sont étroites et pauvrement éclairées, l'odeur de moisi et de pourriture domine tout, les palazzi ne tiennent debout que grâce à des câbles et à des échafaudages de fortune, et s'enfoncent dans la vase de la lagune, leurs pierres imprégnées du moisi qui s'accumule depuis des siècles.

Les deux premières semaines, durant mes pérégrinations nocturnes, je n'ai pas rencontré âme qui vive. Seuls des chats émergeaient de nulle part, dans le noir, pour vaquer à leurs occupations sur les campos déserts. Venise abrite des milliers de chats errants, surtout d'étranges tigrés à la tête aplatie, et quelques spécimens blanc et roux. Où vivent-ils pendant le jour ? C'est un mystère. Mais après minuit, la cité leur appartient. Comme il n'y a nulle part de sable ni de terre, à peine trouve-t-on un arbre solitaire ici et là — le moindre centimètre carré est pavé de vieilles dalles —, les chats défèquent et urinent forcément contre les murs des immeubles. À l'aube, des employés municipaux en combinaison orange viennent avec leurs gros balais et flanquent dans les canaux les monceaux d'excréments encore fumants.

Avec de bonnes indications, il est théoriquement possible de traverser la ville en trois quarts d'heure, des Bacini di Cannaregio au canal Scomenzera. Dans la pratique, les bonnes indications sont affaire de chance. Venise est constituée de cent dix-huit îles reliées par des ponts étroits qui traversent en tous sens un millier de canaux stagnants. Pour atteindre un palazzo situé à cinquante mètres à vol d'oiseau, il faut être capable de s'orienter dans un labyrinthe de ruelles tortueuses et de culs-de-sac sans aucune indication, voire dépourvus de nom. Lors de mes randonnées de trois heures du matin, j'appris très vite à choisir une destination précise — disons l'église de San Zanipolo ou la basilique Saint-Marc — puis à tracer mon itinéraire au crayon rouge sur un plan détaillé de la ville. Je m'assurais d'avoir toujours ce plan sur moi, proprement plié aux dimensions de mon itinéraire, et une petite lampe de poche.

Mais il arriva inévitablement qu'un matin, à moitié malade par manque de sommeil, j'oubliai le plan et la lampe de poche. Cinq minutes après avoir quitté le Palazzo Bragadino, j'étais perdu. Je tentai de retrouver la direction du Grand Canal, mais je m'égarai un peu plus. J'errai dans le noir, complètement désorienté, même pas certain de savoir dans quelle partie de la ville résonnait l'écho de mes pas. Il n'y avait personne à qui demander ma route, aucune signalisation. Partout où je posais les yeux, je ne voyais que des façades abîmées, affaissées les unes contre les autres en des angles invraisemblables. Et au-dessus, toujours le même ciel voilé, indifférent.

Après avoir erré au hasard pendant une heure, je commençai à me sentir mal. Je m'assis sous une porte cochère et posai ma tête sur mes genoux. J'avais mal aux yeux, la tête me tournait légèrement. Même les yeux fermés, je voyais voltiger des taches rouges à la limite de mon champ de vision. Depuis plusieurs semaines, je dormais à peine trois heures et demie par nuit. Combien de temps faudrait-il avant que je m'effondre d'épuisement et qu'on doive m'évacuer vers les États-Unis ? Une dépression de ce genre, pendant une mission importante pour la banque, c'était exactement ce qu'il fallait pour mettre fin d'un seul coup à ma carrière.

Alors que je me laissais envahir par ces sombres pensées, j'entendis, tout près de moi, un léger miaulement. Je levai la tête. Un chaton se tenait au milieu de la ruelle, à moins de trois mètres. Il était noir — ce qui était rare pour Venise —, il n'avait pas plus de six semaines, et des yeux jaunes comme Elizabeth. Il me contempla, miaula de nouveau, puis s'éloigna à petits pas et passa le coin de la ruelle. Pour une raison inconnue, je me levai et le suivis.

Plus loin, devant moi, j'entendis un vague grondement félin. La ruelle tournait brusquement à angle droit, et tombait sur un campo dont le sol humide était littéralement couvert de chats. Ils s'étalaient partout, aussi nombreux que des pigeons, ils ronronnaient, se battaient, se léchaient les pattes, se poursuivaient en passant tour à tour de la lumière à l'obscurité, serrés en des groupes informes et soyeux. Une seule lampe, munie d'un abat-jour métallique plat, éclairait la scène. Suspendue à un câble, elle se balançait sous l'effet du vent aux odeurs de goudron et de poisson pourri. Les immeubles, de chaque côté, étaient condamnés par des planches. La suie d'un incendie survenu bien longtemps auparavant avait noirci certains d'entre eux. Au centre, il y avait un vieux puits recouvert d'une grille rouillée et, un peu plus loin, une chapelle de la Renaissance, oubliée, dont les lourdes portes étaient protégées de la nuit par des verrous.

Le chaton se fondit dans ce magma de fourrure. Puis le vent poissonneux fit bouger la lampe, et je vis qu'il y avait une femme, accroupie au milieu des chats, juste de l'autre côté du puits. Elle me tournait le dos. Elle était vêtue d'une lourde cape noire — un de ces dominos qu'on porte généralement à Venise pendant le carnaval. La capuche tombait sur ses épaules et ses cheveux blonds frisés luisaient dans la lumière vacillante. Elle déballait des paquets d'abats de poisson et d'autres déchets enveloppés dans des journaux, et les étalait sur le sol. Plusieurs paquets étaient déjà ouverts. Quelques chats mangeaient tranquillement. Mais la plupart d'entre eux ne semblaient pas du tout pressés. Certains reniflaient la nourriture avec dédain, d'autres observaient la scène paresseusement, depuis l'obscurité.

Je me frayai un chemin parmi les chats, en veillant à ne pas piétiner la moindre queue. Ils s'écartaient de mon chemin d'un bond, avec un petit cri, ou soufflaient vers les lacets de mes chaussures de jogging. Un ou deux voulurent se frotter contre ma jambe et manquèrent me faire trébucher. Quand je fus assez près de la femme, je l'entendis murmurer. Elle leur parlait. Je ne pouvais déchiffrer les mots — rien qu'un chuchotement affectueux. Je m'immobilisai près du puits. Je ne voulais pas lui faire peur.

— *Scusi, parla inglese ?*

C'était la seule phrase d'italien que je connaissais.

La femme posa son paquet de tripes de poisson. Elle marqua un arrêt, le temps d'un battement de cœur. Puis elle se tourna vers moi, et je retins mon souffle. Même dans la faible lumière du campo, sa peau luisait de cette sorte de blancheur surnaturelle qu'on obtient en plongeant un corps dans l'arsenic. Elle devait avoir vingt-huit ou trente ans. Ses yeux noirs formaient un contraste saisissant avec ses cheveux blond pâle. J'eus l'impression que rien ne pouvait s'y refléter.

— *Si, inglese*, me dit-elle. Je parle.

Sa voix avait le timbre rauque de certains hautbois précieux.

— Je me suis perdu. Si vous pouviez simplement m'indiquer la direction de la place Saint-Marc...

— La place Saint-Marc, d'ici, c'est difficile.

— Peut-être pouvez-vous me dire où je suis. Je pourrais essayer de m'orienter.

— Vous vous trouvez au campo dei Gatti. La place des Chats.

— Oui, dis-je en regardant autour de moi. Pas besoin de parler italien pour comprendre ça.

Son regard exprima quelque chose à mi-chemin entre l'amusement et un total désintérêt.

— Vous aimez les chats, *signore* ?

— J'ai eu une chatte pendant des années, répondis-je sans réfléchir. J'ai dû la faire endormir. C'était la chatte de ma mère, en fait. Elle était vieille, malade...

Je m'interrompis. Je me sentais parfaitement idiot.

— La faire endormir ? demanda la femme, sans comprendre.

— Le vétérinaire lui fait une injection, dis-je, embarrassé. Et puis... l'animal... meurt.

Ma voix s'évanouit. C'était curieux de tenir une telle conversation avec une étrangère, à quatre heures du matin, sur un campo plein de chats.

— Alors vous n'aimez pas les chats ? demanda-t-elle en fronçant les sourcils.

Personne ne m'avait jamais posé cette question. Mes amis avaient toujours pensé qu'un homme qui possédait un chat devait aimer les chats.

— Ce n'est pas cela, dis-je enfin. Mon travail ne me laisse pas beaucoup de temps pour me consacrer aux animaux. Ils sont comme nous, ils n'aiment pas la solitude. Il faut croire que je n'étais pas souvent chez moi, ces derniers temps. Je ne dis pas que j'en suis satisfait.

La femme contourna la fontaine, les chats contre ses chevilles, et m'observa franchement, un long moment.

— Vous êtes américain ?

Puis elle répondit à sa propre question.

— *Si, si*, il n'y a qu'un Américain pour s'habiller comme ça.

Elle agita sa main blanche vers ma tenue.

Je ne pouvais nier. Je portais un T-shirt avec le Just Do It de Nike, une veste de survêtement à fermeture Eclair aux couleurs des Chicago Bulls, un short de jogging turquoise et noir, et une paire d'Air Jordans. L'habituel assortiment tape-à-l'œil de vêtements de sport qu'apprécient tant les Américains pendant leurs loisirs.

— Et il n'y a qu'un Américain pour venir à Venise avec trois mots d'italien seulement. Je me trompe ?

— Non, vous avez raison, là encore, hélas, admis-je en souriant.

— Vous avez l'air d'un type sincère, dit-elle, avant de hocher la tête pour elle-même. Oui, je crois. Vous êtes sincère ?

Je haussai les épaules. J'ai pas mal de défauts, mais il me plaît de penser que je ne suis pas un menteur.

— Je suis aussi sincère que n'importe qui. Mais la sincérité totale, absolue, c'est quasiment impossible. Tout dépend des circonstances. Dieu merci, je ne travaille pas dans la publicité.

— Oui, malheureusement, nous vivons un temps où il y a beaucoup de mensonges. Les gens préfèrent les mensonges à la vérité. C'est bien de dire la vérité, je pense. Mais même là, il faut faire attention. Un proverbe dit : *Le falsità non dico mai mai, ma la verità non a ognuno*. C'est Sarpi qui a dit cela. Ça signifie : il ne faut mentir à personne, mais il ne faut pas dire la vérité à tout le monde. Vous connaissez Sarpi ?

Je lui avouai que non.

— C'était un très grand homme, très sage et très saint. Tous les Vénitiens aiment Sarpi, parce que Sarpi aimait Venise. Il...

Un des chats émit soudain un feulement bizarre, presque surnaturel, qui me fit sursauter. La femme se mit à rire, montrant de petites dents pointues.

— N'ayez pas peur. (Elle cessa de rire et me regarda longuement dans les yeux, pendant un moment troublant.) On dit que les chats sont cruels. Mais ils ne sont pas cruels. Ils sont comme Dieu les a faits. Leur âme est innocente. Ils ne vous feront pas de mal.

6

Je la suivis à travers une série de ruelles et de ponts sur des canaux noirs dont je ne pouvais pas me souvenir. Elle marchait vite, sans regarder à droite ni à gauche. Elle semblait guidée plus par son instinct que par sa connaissance des lieux. Nous parvînmes en tout cas à la Riva del Ferro, et nous montâmes les marches escarpées menant au sommet du pont du Rialto.

— Merci beaucoup, lui dis-je. Je sais où je suis, maintenant.

— Oui. Je vais vous laisser ici. Mais je veux vous demander une faveur. Avez-vous une cigarette américaine ?

Je ne fume pas beaucoup. Seulement quand je suis nerveux ou quand je dois patienter. Mais j'ai retrouvé dans la poche de mon survêtement un paquet de Lucky Strike vieux de deux mois. J'avais glissé sous la cellophane une pochette d'allumettes du Old Ebbitt Grill à Washington. Avec ses énormes steaks, ses bières locales à la pression et les lobbyistes en train de déjeuner, l'endroit me semblait alors aussi éloigné que la planète Mars.

Nous nous sommes approchés du parapet, et j'ai allumé nos cigarettes. L'allumette lança un éclair jaune dans la pénombre d'avant l'aube. D'un geste précis, la jeune femme jeta un pan du domino par-

35

dessus son épaule. Elle portait un pull à col roulé moulant de laine grise, sans manches, et un jean noir. Elle n'avait pas de chaussures. Je trouvai cela bizarre, mais je ne dis rien. On peut penser que les Italiens se conduisent différemment. Ses pieds nus semblaient très blancs sur la pierre sombre.

— Je crains qu'elles ne soient éventées, dis-je en crachant un nuage de fumée.

Elle haussa les épaules.

— Ça vaut toujours mieux que les cigarettes italiennes.

Mais quand elle inhala la fumée, elle fit la grimace. Les vieilles Lucky avaient un goût de carton. Nous avons fumé sans rien dire pendant quelques minutes, en contemplant le flot romantique du Grand Canal. La lune était basse, un simple croissant renversé, déclinant. Le vent apportait le remugle d'un chaland éboueur lointain.

— Toutes les nuits, vous voyez, je nourris les chats. Oh, tout le monde sait que Venise abrite beaucoup de chats. Mais si je ne nourris pas ces pauvres bêtes, elles meurent de faim. Bien sûr, il y a tant de chats à Venise qu'il est difficile de les nourrir tous. Je vais dans les cours des restaurants quand ils ferment, et je récupère les déchets. Tout le monde me connaît, tous les plongeurs, les cuisiniers. Ils me prennent pour une folle. Ils m'appellent la Signora dei Gatti. La Femme des Chats, ou la Dame aux Chats, qu'est-ce qui est mieux ?

— La Dame aux Chats, sans doute. Mais la Femme des Chats ne sonne pas mal non plus.

— Il faut bien nourrir les pauvres chats, non ?

La question n'appelait pas de réponse. Je jetai dans le Grand Canal le mégot de ma Lucky et observai son profil aigu, élégant. Son visage ne montrait pas la moindre ride, pas le moindre pli. Mais on devinait dans ses gestes une lassitude qui suggérait une expérience beaucoup trop intense.

— Ainsi, repris-je, vous passez vos nuits à nourrir les chats de Venise. Que faites-vous dans la journée ?

36

— Oh, pendant la journée, j'essaie de dormir. Vous voyez, le sommeil est très difficile, pour moi... Pour beaucoup de raisons. Et pendant la journée je suis très, très fatiguée. Mais la nuit, je suis toujours éveillée. Je suis comme ça. Et je crois que vous êtes pareil. Vous ne dormez pas, hein? Peut-être est-ce pour ça que vous traînez à Venise dans le noir? C'est ça?

— Nous sommes frères en insomnie, dis-je en souriant. Nous devons avoir une complicité secrète. Mais ça ne m'arrive qu'ici, à Venise. Chez moi, je dors bien. Du moins, je dormais bien.

— Non, je me dis que peut-être, vous êtes amoureux. (Elle me lança un rapide regard de félin, du coin des yeux.) Peut-être sortez-vous de chez une femme. Vous êtes amoureux?

— Non, je ne suis pas amoureux.

Elle allait continuer, mais elle fut distraite par un léger trottinement — des rats, sans doute — sur le contrefort du pont, au-dessous de nous. Elle regarda le ciel, à l'est, là où l'obscurité bleuâtre commençait à se teinter de rose. L'aurore n'était pas loin.

— Ah, il faut que je parte.

Elle écrasa sa cigarette sur la vieille pierre et descendit les marches du Rialto en direction de la Fondamenta del Vin. À mi-hauteur, elle s'arrêta. Une péniche chargée de navets apparut au coin, venant de la direction de San Stae. Elle passa à grand bruit sous le pont, en faisant vibrer les fenêtres des palazzi sombres. La femme attendit que le bruit du moteur diesel s'évanouisse dans le lointain, avant de poursuivre son chemin.

7

Le dimanche, Rinio m'invita à faire un tour sur la lagune, à bord de son Arkansas Traveller. C'était un vieil inboard de fabrication américaine que j'associais à des souvenirs de jeunesse et aux lacs du Midwest. Bien qu'il l'eût baptisé *La Serenissima*, le bateau était indiscutablement américain, avec sa coque en fibre de verre rouge et blanc, ses coussins de similicuir d'un rouge kitsch, sa table en tube chromé et son gigantesque volant de frêne verni.

— Des amis de mon père avaient le même bateau! m'écriai-je par-dessus les gargouillis de l'échappement. Où l'as-tu trouvé?

Rinio se tenait à la barre, avec sa casquette de capitaine et son blazer croisé de yachtman. Il haussa les épaules.

— Nous sommes à Venise. Il y a beaucoup de bateaux.

Sa femme était assise à l'arrière, sous la marquise à rayures, l'air renfrognée, les doigts crispés sur le garde-fou chromé piqué de rouille. Elle ne parlait pas un mot d'anglais. De temps en temps, Rinio lui traduisait un fragment de notre conversation. Elle hochait la tête, sans sourire, le regard indéchiffrable derrière ses énormes lunettes noires.

— Ta femme n'a pas l'air de s'amuser, remarquai-je. Elle ne se sent peut-être pas bien. Ce doit être dur, avec le bébé.

— Ma femme dit que je la tiens à l'écart de mes amis. Lorsque j'essaie de ne pas la tenir à l'écart, elle ne s'amuse pas. Tu sais ce que je pense ? Je pense qu'elle n'aime pas les bateaux. Son père et son grand-père, ils n'aimaient pas les bateaux. Ils n'étaient pas vénitiens. Ils étaient de Mestre, sur la terre ferme.

Il fit un geste en direction du continent.

Nous avons traversé le trafic du Grand Canal puis la Misericordia pour rejoindre la lagune. Cette étendue d'eau verte, vaste et peu profonde, est parsemée d'îles — plus d'un millier en tout, selon Rinio —, certaines habitées comme Murano ou Burano, la plupart abandonnées, où les bâtiments tombaient en ruine.

— Le gouvernement a essayé de vendre treize îles l'année dernière, m'expliqua-t-il. Mais personne ne veut acheter. Qui voudrait vivre là-bas, au milieu des oiseaux et des poissons ?

Nous nous sommes arrêtés sur Burano, dans une petite trattoria appartenant à un cousin de Rinio. C'était un endroit agréable, avec de grands parasols jaunes sur le patio surplombant la rue principale. De vieilles femmes en noir étaient assises dans des fauteuils d'osier, devant les portes des maisons aux couleurs vives, de l'autre côté de la rue. Elles étaient penchées sur leurs travaux de dentelle, et l'on entendait le cliquetis de leurs longues aiguilles noires.

— Ce n'est que pour le spectacle, dit Rinio. Ces femmes ne vendent pas assez de dentelle pour nourrir un chat pendant une semaine. Le gouvernement les paie pour rester assises là, comme des vieilles figurantes dans un opéra.

Alors que nous nous installions autour d'une table, dans le patio, Rinio et sa femme se disputèrent. Je ne compris pas un traître mot de leur conversation, mais ce fut aussi bref et violent qu'une bourrasque d'été. À la fin, la femme de Rinio se leva, fâchée. Très raide, elle reprit le chemin du bateau.

— Elle est enceinte, dis-je à Rinio. Il faut qu'elle mange. Tu devrais peut-être la rattraper.

Il fit un geste vague qui voulait dire non, certainement pas.

— Pourquoi vous êtes-vous disputés ?

— Ma femme, dit-il en secouant la tête. C'est une femme très difficile. Elle n'aime pas mon cousin. Elle dit qu'elle ne veut pas manger ici.

Le cousin de Rinio fit son apparition quelques minutes plus tard, avec un plat de *bruschetta* et une bouteille de chianti. Puis il nous servit des aubergines, une salade d'endives, du calmar mariné, et un bol de pâtes frites avec des pois chiches. Il s'assit à notre table et sirota un verre de grappa de la taille d'un dé à coudre pendant que nous finissions notre repas. C'était un gros homme avec d'énormes avant-bras à la Popeye et une épaisse crinière de cheveux frisés. Il ne ressemblait en rien à Rinio. Les deux hommes bavardèrent quelques minutes, riant et se frappant mutuellement le dos, puis le cousin se leva et regagna sa cuisine.

— Nous parlons toujours des femmes, dit Rinio avec un clin d'œil qui était censé tout expliquer. Un jour, mon cousin, il m'a arrangé un rendez-vous avec sa sœur, une belle fille. Mais ma femme a tout découvert. C'est une histoire compliquée.

Quand on eut débarrassé la table et apporté les expressos, Rinio tira de sa poche une petite carte jaune qu'il déplia sur la nappe. C'était un plan de Venise et de la lagune. Les lignes de vaporettos y étaient tracées en rouge, bleu et brun.

— C'est le vaporetto, dit-il en tapotant le papier. Très important pour toi. Si tu as envie de connaître Venise, tu dois te déplacer comme les Vénitiens, sur le vaporetto.

Il passa vingt minutes à m'initier aux complexités des différentes lignes. J'avais du mal à me concentrer sur ses explications, car le sujet m'intéressait médiocrement. Même sur l'eau, les bus sont un moyen de transport lent et assommant. J'essayai de lui souffler que sa femme en avait peut-être assez de nous attendre sur le bateau, mais il insista.

Les principales lignes municipales 1 (bleu), 2 à 4 (rouge) et 5 (marron) remontent le Grand Canal et contournent l'île de Rialto. Les lignes 18 et 12 (bleu), 7 (noir) et 5 vont dans la lagune au départ des Fondamente Nuove. Il y a en outre une bonne douzaine de correspondances possibles. Certains sortent mais ne reviennent pas, certains ne circulent que le week-end, d'autres non. D'autres encore ne circulent que le dimanche et les jours de fête. En plus des vaporettos, il y a les bacs à destination de Mestre et de Chioggia et du continent.

— Et voici le Lido.

Rinio m'indiqua la longue bande verte de terre entre la ville et l'Adriatique.

— Pour aller au Lido, tu prends n'importe quelle ligne de 10 à 20 au départ de la Riva degli Schiavoni, ou le 2 et le 4, mais seulement au-delà de l'arrêt de Sant'Elena. Si tu veux te baigner, va au Lido. C'est là qu'il y a les meilleures plages. Il y a aussi le Galoppatoio...

— Quoi?

— C'est pour les chevaux. Pour jouer.

— Pas pour moi. Je ne joue qu'au marché des changes.

— Bien. (Rinio eut un sourire.) On ne sait jamais. Maintenant, tu as des questions?

J'examinai attentivement le plan, feignant de m'y intéresser.

— Qu'est-ce que cet endroit? demandai-je enfin en lui montrant un point sombre : une île, dans la lagune, juste en face des Fondamente Nuove.

Rinio secoua la tête.

— Non, non. Tu ne peux pas aller là-bas, sauf si tu es mort. C'est le cimetière San Michele. Si tu meurs à Venise, c'est à San Michele qu'on t'enterre. Mais seulement pour un certain temps, à moins que ta famille paie très cher. Sinon on te déterre et on jette tes os dans la lagune.

Au même instant, une ombre se posa sur la table. Nous levâmes les yeux. La femme de Rinio était là, les bras croisés, les lèvres serrées, le regard dur. Elle n'eut pas besoin de dire quoi que ce fût. Rinio replia promptement son plan et le rangea. Nous nous levâmes, et sans un mot de plus, nous la suivîmes jusqu'au bateau qui se balançait impatiemment au bout de ses amarres.

8

Plus tard dans l'après-midi, alors que l'*ora d'oro* éclairait Venise de cette couleur ignoble dont rêvent tous les touristes, je traversai la ville et me rendis à pied aux Fondamente Nuove. Les amoureux du dimanche, enlacés, flânaient sur le large quai de pierre et se mêlaient à la foule des touristes débarquant des vaporettos. Les îles les plus éloignées dans la lagune étaient perdues dans la brume, mais les murs funéraires de San Michele, de l'autre côté du chenal, brillaient sous la lumière dorée. Ces édifices de brique brunâtre étaient surmontés de crénelures de marbre et ponctués de porches d'eau abandonnés dont les marches moisies descendaient jusqu'à l'eau clapotante. Les tourelles blanches et les croix des plus grandes tombes étaient visibles au-dessus du mur. Les points noirs des cyprès oscillaient paresseusement dans le vent.

J'entrai dans un pub anglais à mi-chemin des Fondamente. Je m'installai au comptoir pour boire une pinte de bitter en regardant la lumière qui diminuait, passant de l'or au rouge, au-dessus de l'île-cimetière. J'étais pris d'une sensation indéfinissable.

Pour la première fois depuis longtemps, je pensais à ma mère, morte dans un accident quand j'avais douze ans. Elle conduisait une Corvair Monza 1964 décapotable. Une excellente occasion. Le modèle dont

Ralph Nader proclamait qu'il était dangereux à n'importe quelle vitesse. Quelque part dans ma collection de photos, j'avais toujours un instantané de cette voiture défectueuse, peu après son arrivée du garage d'occasions de Pallone Chevrolet — capote repliée, enjoliveurs rutilants, ailes chromées et carrosserie jaune citron brillant au soleil.

Peu de temps après ce cliché, maman passa prendre une de ses amies et descendit la Beltway pour faire des emplettes à Tyson's Corner. Sur le chemin du retour, alors qu'elle descendait le virage de la bretelle de sortie, à l'intersection de la 95 et de la Beltway à Springfield, la Corvair cassa son arbre de transmission. Elle se retourna et dérapa, le ventre en l'air, jusqu'à la barrière de sécurité. Il fallut gratter le bitume gras et éraflé pour récupérer les restes de maman. Grâce à quelque bizarrerie de la physique, l'amie fut éjectée et atterrit sur l'accotement herbeux. Elle s'en sortit avec deux côtes cassées et quelques contusions.

J'étais alors en première année à Saint-Albert, à Lincoln (Nebraska). Ce collège militaire catholique était dirigé par les frères albertins, un ordre de moines soldats fondé à l'époque des Croisades. Mon père ne me permit pas de venir dans l'Est pour l'enterrement, à cause des examens du trimestre. Quand je rentrai chez nous pour les vacances de Pâques, la pierre tombale de maman (une misérable plaque de cuivre pas plus large qu'un carnet de notes) ternissait déjà au bord de la route 236, dans le champ pelé qui passait pour un cimetière, et la mauvaise herbe avait envahi sa sépulture. À part moi, il ne restait aucune trace de son passage sur cette terre, sauf un tas de lettres en lambeaux liées par des rubans décolorés, dix mille dollars en obligations d'État, une pile de vêtements pour l'Armée du Salut, et une chatte.

Deux mois avant son accident, les voisins lui avaient donné un chaton. Elle m'avait envoyé des photos d'une adorable boule de fourrure aux grands yeux jaunes. *Si je ne peux pas te donner une petite sœur pour le moment*, disait le message qui accompagnait les photos, *du moins puis-je te donner cette petite amie. Elle attend que tu aies fini l'école pour que tu puisses lui faire un gros câlin. Elle s'appelle Elizabeth.* Mais après l'accident, mon père décida de donner Elizabeth à la fourrière. Je l'ai appelé, en larmes, depuis le téléphone crachotant du dortoir, et je l'ai supplié de la garder pour moi. Je m'occuperais du chaton, lui dis-je, je nettoierais sa litière, je ferais tout ce qu'il faut... Dans un de ses rares moments d'indulgence, il accepta.

Je fis tout ce que j'avais promis, et plus encore. Je nettoyais régulièrement la litière d'Elizabeth, je la conduisais chez le vétérinaire pour ses vaccins et le traitement contre les vers, j'achetais du Kibbles'n Bits et des jouets avec mon argent de poche si durement gagné. Mais dès le début, ce fut une bête têtue et mélancolique. Elle refusait de dormir avec moi. Elle dormait dans la cave, sur un bout du vieux peignoir de maman. Elle faisait la dégoûtée devant les jouets que je lui achetais, et elle ne voulait pas jouer avec des bouts de fil et des balles de papier alu comme les autres petits chats. Elle semblait aimer mon père beaucoup plus que moi... Un homme qui détestait autant les chats qu'il haïssait la faiblesse et le sentimentalisme. Non, Elizabeth ne m'aimait pas. Elle ne m'avait jamais aimé.

9

Au sommet à peine visible du Campanile, la *marangona* sonna lourdement les douze coups de minuit. Le vent agitait les lampes qui pendaient à l'écheveau de câbles au-dessus de la piazza. L'étrange façade de la basilique Saint-Marc se reflétait dans des flaques sombres, sur le sol pavé, comme un mirage de château de conte de fées. Venise sombrait, tout le monde le savait, ce n'était qu'une question de temps. Je déambulai, les mains dans les poches, traînant les pieds dans les flaques comme un gosse. En fin de journée, la lire avait fait un bond par rapport au yen. J'avais réalisé un bénéfice de trois millions au profit de la banque. Il est agréable de savoir qu'on fait ce pour quoi on vous paie. Je fis deux fois le tour de l'arcade. Il n'y avait aucun signe d'elle. Mais au moment où j'allais renoncer et regagner mon hôtel, je sentis sur ma nuque un murmure — comme le souffle d'un chat —, qui me fit me retourner. Elle était là.

Elle portait son domino noir jeté sur les épaules à la manière d'une cape, et une robe de cocktail en soie rouge, moulante et très décolletée. Des gants noirs lui remontaient jusqu'aux coudes. Je clignai des yeux. Elle n'était pas précisément belle, mais quelque chose en elle me donnait envie de la regarder, de la regarder sans relâche.

— Vous pensiez que je ne viendrais pas, dit-elle.

— C'est vrai. Surtout quand je me suis rendu compte, hier, que je ne connaissais pas votre nom.

— Je m'appelle Caterina Vendramin.

Elle me tendit sa main gantée, paume vers le bas. Je n'étais pas assez européen pour m'incliner et la lui baiser. Je la serrai à la manière des Américains, maladroitement.

— Jack Squire.

— Si nous devons être amis, Jack, tu dois savoir que je tiens toujours mes promesses.

— C'est une excellente chose.

Nous marchâmes sous les lampes agitées par le vent, vers le Florian, où le trio à cordes achevait sa représentation sur la petite estrade extérieure. Un groupe de touristes noctambules écoutait les musiciens interpréter *The Girl from Ipanema*. De l'autre côté de la piazza, au café Veneziano, un autre trio composé de deux violons et d'un accordéon répliquait avec *That Old Devil Moon*.

— Elle n'est pas très bonne, cette musique, dit Caterina en grimaçant. Vivaldi en personne a joué ici avec deux cents musiciens vêtus de velours vert. Comme c'était magnifique !

— Tu en parles comme si tu y avais assisté.

— Vivaldi appartient à tous les Vénitiens de toutes les époques.

— Veux-tu que nous allions prendre un verre au Harry's Bar ? C'est à deux pas d'ici.

— Harry's ferme à onze heures, dit-elle. Et puis c'est beaucoup trop cher. Seize mille lires pour un gin tonic ? Ridicule ! Je connais un endroit beaucoup mieux.

Il n'y avait d'autre bruit que le frôlement de l'aviron dans l'eau calme du canal. On voyait quelques lueurs discrètes derrière les stores, à l'arrière des immeubles. Tout le reste était plongé dans les ténèbres. Aucune lanterne ne pendait à la proue décorée de la gondole.

Le gondolier, un jeune homme maigre, portait un blouson de cuir noir sur sa chemise rayée traditionnelle. Son chapeau de paille était tiré en avant sur son visage, et il avait les pieds nus. Il semblait se diriger à l'odorat. Par moments, je ne discernais même plus Caterina assise à côté de moi sur les coussins épais.

Elle alluma une cigarette. À la lueur de l'allumette, je vis ses yeux noirs, fixés sur le néant.

— Cigarette ? me proposa-t-elle. Ce sont des françaises.

— Pas maintenant.

Nous restâmes un moment sans rien dire. J'écoutais l'eau ruisseler des vieux immeubles, dans le silence indéchiffrable de la Venise nocturne.

— Il ne chante pas ? demandai-je tout à coup.

— Qui cela ?

— Le gondolier.

— Non, Dieu merci.

— Et toi ?

Elle tira une bouffée de sa cigarette, et j'eus l'impression qu'elle souriait.

— Je chante pour mes chats. Mais si bas qu'ils entendent à peine.

— Pourquoi tu n'essaierais pas pour moi ?

Elle souffla la fumée par-dessus son épaule et écrasa sa cigarette entre le pouce et l'index. Je tressaillis. Mais elle n'eut pas l'air de sentir la douleur.

— Très bien. Je vais chanter une vieille chanson. Celle que chantait la Maddalena en lavant les pieds du Christ et en les essuyant avec ses cheveux, en se repentant de ses péchés de chair et en renonçant pour toujours à sa vie de putain.

Quand elle se mit à chanter, je le ressentis jusque dans mes doigts de pied. Elle avait une voix grave et souple. Je fermai les yeux. Je vis des oiseaux pâles tournoyer dans l'air, les petites vaguelettes de la lagune baigner des pierres moussues. Quand l'écho de la dernière note se répercuta contre les murs sombres des bâtiments, j'étais prêt à croire tout ce qu'elle me dirait. Au même instant, ma *market watch* se déclencha. Deux longs, deux courts. Les notes aiguës, insistantes rompirent le charme. Le gondolier lui-même sembla perdre ses moyens. Nous heurtâmes doucement, dans l'obscurité, une palina à demi immergée.

— Quel est ce bruit épouvantable? demanda Caterina, contrariée.

— Pardonne-moi, mais je dois vérifier quelque chose.

Je sortis le boîtier de ma poche, actionnai le bouton et scrutai le minuscule écran. *Échec de l'accord Fiat-Nissan. Chute de la lire par rapport au yen. Marché très actif, Tokyo.* Je me mis soudain à transpirer. Mes oreilles se débouchèrent. Je venais de me rappeler que j'avais oublié de fixer mes taux, en fin de journée. Je tâtai ma poche en quête de mon portable. Il n'y était pas. Je l'avais laissé sur l'étagère de marbre de la salle de bains. Le manque de sommeil me rendait dangereusement négligent. Les trois millions que j'avais gagnés pour la banque seraient perdus le lendemain matin. C'était une catastrophe.

— Il me faut un téléphone, dis-je, en essayant de dissimuler mon désespoir. Est-ce qu'il y a un téléphone par ici?

L'écho de mes paroles dans l'obscurité me fit comprendre que la question était ridicule.

Caterina garda le silence un instant.

— J'ai regardé ton visage tout à l'heure, et je n'ai pas aimé ce que j'ai vu, dit-elle calmement. Ton visage était plein de la lumière verte de cet objet. (Elle montra ma *market watch.*) C'est un démon, tu devrais le jeter dans le canal.

— Il s'agit d'une très grosse somme d'argent, objectai-je en essayant de retrouver mon calme. Peux-tu m'aider à trouver un téléphone?

— À Venise, il est très difficile de trouver un téléphone public. Et cette partie de la ville est très ancienne. Il y a des téléphones dans les cafés de la place Saint-Marc, mais ils sont fermés, maintenant. Il n'y a qu'à la gare, je crois... Mais en gondole, il faut une heure pour y aller. À pied, ça prendra aussi une heure.

Une heure ! Je regardai à nouveau ma montre, essayai de me souvenir quelle heure il était à Tokyo et à New York. La nouvelle avait déjà fait le tour, maintenant. Sur les grandes places financières, à Paris et à Berlin, à Stockholm et à Séoul, les courtiers spéculaient à la hausse. Des millions changeaient de main deux fois par seconde, tout le monde vendait des lires et achetait des yen. On disposait d'un quart d'heure, tout au plus.

— Peu importe, dis-je d'une voix tremblante. C'est déjà trop tard.

— Alors je suis sincèrement désolée.

Caterina ôta son gant et posa sa main sur la mienne. C'était la première fois que nous nous touchions vraiment. Elle avait la peau fraîche et douce, comme une pierre polie par les ans. Toute mon angoisse sembla s'écouler de mon corps. Je me laissai retomber, épuisé, sur les coussins de brocart.

— Tu veux que je chante encore ? demanda-t-elle, les lèvres à deux centimètres de mon oreille.

— Oui, j'aimerais beaucoup.

Brusquement, je fus incapable d'imaginer ce que j'aurais pu souhaiter de mieux. Sa voix s'éleva de nouveau dans la nuit. Cette fois, c'était une berceuse vénitienne. Je fermai de nouveau les yeux, et les images douces revinrent. Je vis des formes blanches dans l'eau verte, des ombres jouer sous la surface de la lagune. Puis, en un instant, je m'endormis.

10

Nous franchîmes le porche d'eau d'un palazzo en ruine. Le rez-de-chaussée était entièrement noyé sous quarante ou cinquante centimètres d'eau. Une série de planches posées sur des parpaings menait, dans l'obscurité, à une volée de marches couvertes de vase. L'air dense portait l'odeur épaisse des vieux os et du moisi.

— Désolé, dis-je en me frottant le visage. J'ai dormi longtemps ?

— Pas longtemps, seulement quelques minutes, me répondit-elle. Peut-être étais-tu fatigué.

Le gondolier dirigea sa barque luisante vers un amarrage de fortune. Caterina se leva précipitamment. D'un bond, elle fut sur les planches de bois. Je vis qu'elle marchait à nouveau pieds nus.

— Il faut faire attention, ici. L'eau n'est pas profonde, mais tu pourrais abîmer tes beaux souliers.

Elle descendit et me prit la main pour me guider le long des planches. Quand je regardai par-dessus mon épaule, je vis que la gondole était partie.

— Tu as payé le gondolier ?

— Il me connaît. Il travaille pour mon père.

Nous montâmes les marches menant au *piano nobile*, une salle unique, haute de plafond et parsemée de meubles délabrés et anciens. Le son d'un xylophone venait de quelque part. Je reconnus l'odeur aigre du haschisch. Une cinquantaine de personnes noyées dans la fumée étaient rassemblées autour d'un bar éclairé par des bougies. De grandes fenêtres gothiques donnaient sur un campo désert de l'autre côté du canal, où s'agitaient dans la pénombre les formes vagues des chats. Le chuintement continu du dialecte vénitien flottait dans l'air, sous le haut plafond, comme une brume.

— C'est un club privé, me glissa Caterina à l'oreille. Un ami à moi le dirige pour payer les impôts. Sa famille est propriétaire de ce palazzo depuis cinq cents ans, et il est trop fier pour accepter l'aide du gouvernement. Tu vois ces fresques ?

Je levai les yeux. Des anges sombres dansaient dans les renfoncements en voûte du plafond.

— Elles ont été peintes par le grand Tiepolo.

Nous nous approchâmes du bar. D'emblée, un homme aux dents proéminentes et au visage jaune nous servit deux petits verres d'un liquide brunâtre qu'il versa d'une bouteille poisseuse. Ses poignets osseux dépassaient de dix centimètres les manches de sa veste rouge. Je levai mon verre devant la flamme jaune des bougies. De curieux filaments de dépôt flottaient juste au-dessus du fond. Je mis le nez dessus. Le bouquet évoquait l'alcool à 90° et le cuir carbonisé.

— Qu'est-ce que c'est, exactement ? demandai-je.

— De la Teriaca, dit Caterina. Mon ami Tisi la fait lui-même. Une boisson très spéciale. Bon pour la santé. On ne la trouve qu'à Venise. Chin-chin.

Elle engloutit son verre cul sec. Je fis de même. Ça brûlait en descendant, et le choc en retour, violent, me monta tout de suite à la tête. L'arrière-goût était indescriptible : un mélange de cannelle, de réglisse et d'orange, plus quelque chose d'autre. Nous en bûmes encore deux. Puis Caterina entreprit de choisir le vin. Le barman sortit de sous le bar plusieurs bouteilles couvertes de toiles d'araignée, qu'il essuya avec un torchon humide. Elle les examina soigneusement l'une après l'autre, les tapota du bout du doigt, les renversa, passa le nez au-dessus des sceaux craquants de cire rouge.

— Tisi a une cave excellente. Mais il faut être très prudent. Cette bouteille, par exemple, a tourné.

Elle la tendit au barman avec quelques mots rapides. Sans s'émouvoir, il brisa le goulot sur le bord de l'évier de céramique derrière le bar, et vida la bouteille dans le tuyau d'écoulement. Pendant un moment, l'odeur forte du vinaigre envahit l'atmosphère.

Je profitai de l'occasion pour examiner les clients. Tous portaient des habits de soirée extravagants et démodés. Je vis des smokings blancs, des nœuds papillons, des robes sans bretelles, des boutons de manchette, des fume-cigarette, des talons aiguilles. Je vis même une paire de guêtres et un boa de plumes vertes. La lueur des bougies donnait aux visages un ton cireux, et ils avaient le regard drogué et sans expression. L'endroit me rappela un endroit semblable, à New York, quelques années plus tôt. C'était un club rétro itinérant, le Quatre Cents, qui s'installait dans des entrepôts abandonnés du quartier du marché aux viandes. Il y avait là quelque chose de théâtral et de maladroit : des gosses branchés jouant à se déguiser. Mais pas ici. Pas cette fois. Ici, les gens étaient plus âgés, ils semblaient parfaitement à l'aise, comme s'ils étaient nés dans ces vêtements. Comme s'ils venaient de s'échapper des pages de *Town & Country*, période 1948.

Caterina choisit enfin son vin : une bouteille courtaude et noire, à l'étiquette décolorée. Elle prit deux flûtes délicates et un tire-bouchon, et me guida à travers la foule.

— Viens faire la connaissance de quelques-uns de mes amis.

Je la suivis jusqu'à un canapé bas près d'une fenêtre, où se tenaient, serrés les uns contre les autres, un gros homme et deux femmes. Ils fumaient du haschisch dans une petite pipe d'ébène. L'odeur aigre assaillit à nouveau mes narines. J'imaginai soudain les manchettes du lendemain, clignotant avec insistance sur l'écran de ma *market watch*. *FX trader américain embarqué dans une rafle dans un club de drogués à Venise. Dégringolade du dollar*. Mais nous étions en Europe, et le haschisch était pratiquement autorisé, n'est-ce pas ?

Le gros homme portait un smoking chiffonné, dont le col luisant montrait de légères taches vertes. Sa tête avait presque exactement les dimensions d'une boule de bowling, ses gros pieds étaient engoncés dans les plus petits chaussons brodés qu'on puisse imaginer. Les femmes, deux créatures pâles aux cheveux teints en roux, portaient des robes assorties, aux couleurs complémentaires. Elles semblaient complètement défoncées et arboraient le même sourire hébété. Celle de droite agitait vigoureusement un éventail d'ivoire peint, en dépit de la fraîcheur humide de la soirée.

— Mon ami est américain, leur annonça Caterina d'une voix sonore. Par politesse, nous parlerons donc anglais.

— Non, pas de problème, dis-je vivement. Je comprends un peu l'italien.

Mais je m'étais exprimé en anglais, et ma remarque n'eut pas l'effet souhaité. Pendant un long moment, ils clignèrent des yeux vers nous, comme des chiens perdus.

— Bienvenue dans ma maison, finit par lâcher le gros homme.

Il avait une voix râpeuse, conséquence d'années de grappa et de joints. Il se leva avec difficulté, mais Caterina lui fit signe de rester assis. Nous prîmes place sur une grande ottomane recouverte de châles, juste en face d'eux.

— Je crois que tu as trop fumé de ce truc ! lui dit Caterina.

Elle désigna la pipe en fronçant le nez de dégoût.

— Il nous faut cultiver nos plaisirs, dit le gros homme, formant ses mots avec un soin exagéré. Comment pourrions-nous, sans cela, supporter notre purgatoire personnel ?

— Comme tu y vas, Caterina, *cara* ! dit la rousse qui n'avait pas d'éventail, en me regardant franchement. On dirait que tu t'es lassée de tes chats !

Caterina me tendit le tire-bouchon et la bouteille de vin, et tous les quatre se lancèrent dans une discussion en italien. Je n'avais aucune idée de ce qu'ils disaient, mais le gros homme avait l'air mécontent, pour une raison ou pour une autre. Puis Caterina lui parla sèchement. Avec un grognement, il éteignit la pipe d'ébène en posant le pouce sur les braises brûlantes du fourneau. Comme je me sentais tout à fait hors jeu, je me concentrai sur ma tâche : ouvrir la bouteille. Je découpai soigneusement le sceau de cire. Le bouchon était noirci par l'âge. L'étiquette était vieille et jaunie, l'inscription était manuscrite, d'une écriture fleurie mais délavée. Je ne pus déchiffrer l'année, qu'on avait effacée. J'eus quelques difficultés, mais le bouchon sortit avec un bruit sec, et j'emplis les verres. Caterina prit le sien et me sourit.

— À notre amitié, dit-elle, et je vis la lueur des bougies se refléter dans ses yeux noirs.

— À notre amitié. (Le vin était fruité et résineux. Je n'avais jamais rien bu de tel.) Il est très bon.

— Vous l'aimez ? (Le gros homme se pencha en avant.) Du tokay. Mon père en a apporté plusieurs caisses, il y a de nombreuses années. Les vins doux de jadis ne sont plus à la mode. De nos jours, on préfère des vins plus secs, je crois.

— Pardonnez-moi de ne pas vous avoir présenté, dit Caterina, baissant son verre. Voici Tisiano Naso. Tisi, voici mon ami Jack Squire.

Je tendis le bras, lui serrai la main. J'eus l'impression de saisir un poisson mort.

— Et voici Bianca et Angela.

Je hochai la tête en direction des deux rouquines. Je leur souris, sans savoir qui était qui. La première me rendit mon sourire, l'autre gloussa stupidement derrière son éventail.

— Ainsi, vous vivez ici ? demandai-je au gros homme.

Il m'adressa un sourire sans joie.

— Oh, plus maintenant. Pas depuis plus de deux cents ans.

— Ce que veut dire Tisi, dit la rouquine sans éventail, c'est que c'était la maison de sa famille, hein ? Ils étaient dans le *Libro d'Oro*, hein ?

Le gros homme roula des yeux.

— Je t'en prie. Tout cela est fini.

— Non, pas fini, gloussa la rouquine à l'éventail. Tisi, N.H. (Elle forma les lettres dans l'air avec le doigt.) *Nobile Homine*. Comte Tisi, hein ?

Je hochai la tête, même si je ne comprenais pas un mot de ce qu'ils racontaient. Caterina se tourna vers moi.

— Le *Libro d'Oro*, c'est le Livre d'or de Venise. Jadis, il y a bien longtemps, à l'époque de la Serenissima — c'est ainsi qu'on appelait la vieille République de Venise —, tous les membres des familles nobles étaient inscrits dans le Livre d'or. C'était un grand livre avec une couverture d'or, que l'on gardait au palais des Doges. Si votre nom n'y figurait pas, vous n'étiez rien. Des paysans, des pêcheurs, des moutons. La famille de Tisi était dans le Livre d'or, comme la mienne, comme celle de Bianca et d'Angela. Jadis, nous occupions tous une position élevée. Maintenant, nous ne sommes rien. Nous sommes des Barnabotti.

— Des Barnabotti ? Qu'est-ce que c'est ?

Caterina hésita.

— Difficile à expliquer. Et puis, Tisi a raison. Aujourd'hui, à l'époque moderne, tout ça ne veut plus rien dire.

— Oui, exactement zéro, dit le gros homme, non sans satisfaction. Est-ce que nous valons mieux que les autres ? Non. (Il secoua son visage gras.) Et à l'époque, nous valions mieux que les autres ?

56

Il haussa les épaules.

Tout cela me dépassait. Je ne savais que dire. Pendant un instant, j'eus l'impression d'entendre le bruit de l'eau rongeant les fondations du palazzo. Un lent craquement, comme si les murs se déplaçaient.

— Avez-vous jamais pensé à assainir le rez-de-chaussée? dis-je, mal à l'aise. Pomper toute cette eau, étançonner? Une équipe d'ingénieurs pourrait faire des prodiges, ici.

Tisi leva un sourcil, au-dessus de ses bajoues. Je dus répéter trois fois ma question avant qu'il comprenne, tant l'idée lui semblait bizarre.

— Vous voulez dire : pour sauver Venise? questionna-t-il enfin.

— Je suppose que c'est ça, la grande idée.

— Mais la situation échappe déjà au pouvoir des hommes et des machines. Venise a déjà sombré. Elle n'est plus là. La plupart des pilotis, sous les palazzi, ont plus de mille ans. Beaucoup sont tombés en pourriture, et beaucoup d'autres vont bientôt faire de même. Venise flotte sur l'air, c'est une illusion, un mirage, une ville fantôme. Ou bien pourrait-on dire que c'est un miracle, qu'une main la retient, de là-haut? Une armée d'anges avec des chaînes d'or qui la maintient en l'air. Bien entendu, même les anges finissent par se lasser, et laisser tomber.

— Oh, Tisi, tu es un vrai poète, dit la rouquine sans éventail. (Elle s'exprimait d'un ton méprisant, insultant.) L'Américain te parle d'ingénieurs, et tu lui parles d'anges. Il va te prendre pour un imbécile.

— Et toi, pour une stupide petite grue! lança le gros homme entre ses dents, et ils se mirent à échanger des insultes en italien.

Caterina soupira et se tourna vers moi.

— Tu veux danser?

Je regardai autour de nous. Personne ne dansait.

— J'ai l'impression que nous serons les seuls.

— Eh bien, nous danserons.

— Je ne sais vraiment pas... dis-je, embarrassé.

— Suis-moi.

Au centre de la salle, il y avait un carré de marbre poli à peine plus grand qu'une table de salle à manger. Nous approchâmes et commençâmes à tanguer, serrés l'un contre l'autre, au rythme de la vague musique du xylophone. Je sentais sous sa robe les formes de son corps. Sa peau frissonnait légèrement. Ses cheveux sentaient comme des fleurs humides à un enterrement.

— Je crains que mes amis ne... (Sa voix s'évanouit. Elle se redressa, posa une main froide sur ma nuque.) Non. Ne parlons pas, maintenant. Restons silencieux.

— D'accord, dis-je.

Nous avons dansé comme cela pendant très longtemps — c'est-à-dire en dansant à peine, sans prononcer un mot. Le gris fugitif d'une fausse aurore apparut derrière les arcs gothiques des fenêtres. Il était trois heures du matin, l'heure de l'insomnie. Des chats rôdaient sur le campo désert, en dessous, en quête de leur dîner. Lentement, imperceptiblement — mais nous le savions tous —, Venise s'enfonçait dans la vase de la lagune.

11

Rinio passa une semaine à Padoue pour la banque, et j'eus le bureau pour moi seul. Je fermai la porte, débranchai le standard et éteignis les écrans. Puis j'ordonnai à Vida de ne me transmettre aucune communication, sauf des États-Unis. Mon premier rapport sur la situation politique italienne devait être sur le bureau de Warren le mardi suivant, et je n'avais pas commencé mon enquête. Warren exigeait autre chose que de simples informations, il voulait plus que ce que lui offraient Reuters ou UPI. Il voulait connaître la rumeur de la rue. Le problème, à Venise, c'est que les rues sont recouvertes d'eau. Et personne, parmi les gens que je connaissais, ne semblait se soucier de politique.

— Venise n'est rattachée à l'Italie que pour des raisons économiques, m'avait dit Rinio avant de partir. S'il était possible de revenir à la Serenissima sans risquer la banqueroute, aucun vrai Vénitien ne s'y opposerait. Ici nous sommes d'abord vénitiens, avant d'être italiens. La politique, c'est quelque chose qui se passe sur la *Terra Firma*.

Opinion que partageaient Vida, le réceptionniste de l'hôtel, le vieux cireur de chaussures qui officiait dans le hall de la banque Comparini, et la serveuse du bar à vin du Campo Santa Maria Formosa — une étudiante en sciences politiques qui s'était mise en congé pour un semestre de l'université de Bologne.

— Vous devez comprendre, *signore*, m'avait-elle dit, que l'Italie a connu cinquante-cinq gouvernements depuis 1945. Alors, un gouvernement de plus ou de moins...

Elle avait conclu avec un haussement d'épaules typiquement italien.

Après la fermeture du bar à vin, je l'invitai à prendre un expresso au petit café voisin. Nous nous assîmes à l'extérieur, pour regarder le ciel vespéral perdre son éclat et s'évanouir peu à peu dans la brume. Les boutiquiers tiraient leurs rideaux métalliques, en dépit des quelques touristes qui flânaient encore à cette heure tardive. De l'autre côté de la place, l'austère façade néoclassique de Santa Maria Formosa s'enfonçait peu à peu dans la pénombre. Un peu plus tard, un groupe de jeunes gens accompagnés par un gros chien vint jouer au football sur le campo désert. Les vieilles pierres se faisaient l'écho de leurs cris, des aboiements du chien et du bruit sourd du ballon contre le cuir des chaussures.

La fille s'appelait Paolina. Elle avait vingt et un ans, n'était pas très jolie et assez intelligente pour souffrir de son sort. Il s'avéra qu'elle ne s'intéressait aucunement à la politique. Sa grande passion semblait être réservée à la pop music américaine.

— Vous connaissez ce groupe... Ahrem ? me demanda-t-elle après le second expresso.

Je secouai la tête.

— Ça s'écrit en trois lettres, dit-elle en les traçant sur la nappe.

— Oh, REM ! Oui, bien sûr.

— Vous les aimez ?

— Bien sûr.

— À Bologne, à l'université, c'est très facile de trouver des gens sympathiques. Ils aiment la musique nouvelle, ils aiment les choses nouvelles. Ici...

Elle fit un geste vers les gamins, sur le campo, qui jouaient maintenant torse nu. Une douzaine de dos luisants de sueur à la lueur du réverbère. Le chien — une créature à poil long, à demi aveugle — courait entre eux en tous sens, détournait le ballon de sa trajectoire et faisait trébucher les joueurs qui tiraient au but.

— Je joue de l'harmonica, dit-elle brusquement. Peut-être aimeriez-vous m'entendre ?

J'essayai de la ramener aux élections d'avril. Je l'interrogeai sur Berlusconi, le Premier ministre sortant, et sur Prodi, son adversaire.

— Berlusconi. Ce type est un acteur, pas un homme politique. Tout le monde le sait. Il vient aux interviews maquillé, et il ne se laisse filmer que sous certains angles pour être sûr d'apparaître à son avantage. On dit aussi qu'il a beaucoup de maîtresses. On dit qu'il couche chaque soir avec une femme différente. Et l'on dit aussi qu'il est fasciste. Oui, voilà ce qu'on dit. Prodi, c'est un nouveau venu. Jamais fait de politique. Un homme bien, peut-être.

Elle ne pouvait rien me dire de plus.

— Mais je croyais que vous étiez étudiante en sciences po.

Elle hocha la tête avec un regard un peu triste.

— Oui, oui, c'est vrai. Mais la musique m'intéresse beaucoup plus. La politique, vous savez, ça change tous les ans. La musique... (Son regard s'éclaira.) La musique, c'est éternel. Tout le monde écoute encore Rossini, Vivaldi, non ? Les hommes politiques, qui s'en souvient ?

Je me suis finalement connecté sur Internet, et j'ai téléchargé sur mon ordinateur l'équivalent de deux années du *Washington Post*. J'essayai de m'en servir pour rédiger mon rapport. Le service étranger du *Post* avait publié une série d'articles sur la scène politique italienne à partir des élections de mars 1994. En Italie, la situation était complexe, chaotique. Pour autant que je comprenne, la coalition de démocrates-chrétiens au pouvoir, qui dominait la vie politique du pays depuis près de quarante ans, avait été mise à mal au début des années quatre-vingt-dix par une série de scandales liés à des pots-de-vin. En janvier 1994, la moitié des dirigeants de la vieille génération étaient accusés de corruption, y compris l'ancien Premier ministre Bettino Craxi. L'autre moitié était déjà sous les verrous.

C'est au beau milieu de cette pagaille que le magnat des médias Silvio Berlusconi fit son apparition. Ce personnage flamboyant à la Citizen Kane possédait trois des plus grands réseaux de télévision du pays, dont les programmes étaient surtout constitués de séries américaines doublées en italien et d'émissions de variétés où des femmes à la poitrine généreuse se déshabillaient devant des publics admiratifs. Berlusconi forma un nouveau parti de droite, Forza Italia, avec les rivaux politiques Gianfranco Fini (de l'Alleanza Nazionale, néofasciste) et Umberto Bossi (de la Ligue du Nord, séparatiste). Avec l'aide des centaines d'heures de publicité gratuite offertes par les chaînes de télévision de Berlusconi, cette coalition improbable remporta haut la main les élections nationales de mars 1994.

Mais le triomphe de Forza Italia fut de courte durée. Fini était partisan d'un gouvernement national fort, dans la tradition mussolinienne. Bossi, lui, appelait de ses vœux un État fédéral qui accorderait une large autonomie aux régions et lèverait moins d'impôts pour le Sud pauvre. Berlusconi se trouvait quelque part entre les deux. Il était partout et nulle part. Son seul programme était sa soif de pouvoir. C'est ainsi que les tensions à l'intérieur de son parti entraînèrent la chute du gouvernement en décembre, moins de sept mois après son accession au pouvoir. Un gouvernement de transition fut désigné pour assurer les affaires courantes du pays, sous la direction du technocrate Lamberto Dini. Il se retirerait après le prochain scrutin national.

Entre-temps (en juin), les Italiens avaient dû voter à nouveau, et répondre à douze référendums sur des problèmes relevant d'habitude des compétences d'un parlement élu. Entre autres questions, on les consulta sur les heures d'ouverture des épiceries, le nombre de stations de télévision qu'une même personne pouvait posséder, ou les interruptions des films par la publicité à la télévision. Les bulletins de vote étaient définis par leur couleur, « oui » signifiait parfois « non », et la confusion était générale. Cet épisode du chaos électoral donna aux partis de gauche l'impulsion nécessaire pour s'unir. Romano Prodi, un professeur d'économie aux manières douces, parvint à constituer une coalition de socialistes et d'anciens communistes. Le nouveau parti ainsi formé, l'Ulivo — l'Olivier —, reçut très vite un important soutien populaire.

En avril, les candidats de l'Olivier allaient s'opposer à Berlusconi et à son nouveau parti de l'Alliance pour la Liberté, constitué tant bien que mal avec les vestiges de Forza Italia. La presse publiait des hypothèses contradictoires. Personne ne pouvait dire quel serait le résultat des élections. On ne pouvait se fier aux sondages. Chacun des deux partis, comme toujours, était rongé par ses divergences internes. Les gens haïssaient Berlusconi, ou bien ils l'adoraient. D'après les éditorialistes, Prodi avait autant de charisme qu'un plat de linguinis. L'Olivier allait devoir accepter le soutien des marxistes purs et durs du parti de la Refondation, qui refusaient d'admettre la mort du communisme. À l'extrême droite, l'Alliance pour la Liberté allait encore une fois se tourner vers les fascistes, dont Alessandra Mussolini, la petite-fille du dictateur, qui était déjà députée de Naples. Tous les Italiens voulaient une classe politique qui travaille sereinement, un système à deux partis, des élections régulières, des trains partant à l'heure, une dette extérieure décente, un taux de chômage raisonnable et des Premiers ministres capables d'agir, mais personne ne savait comment y parvenir. Cette fois-là, les élections étaient l'affaire de tous.

Je relus tout mon matériel d'un bout à l'autre deux fois de suite, j'alignai consciencieusement des notes sur plus de cinq pages de bloc, puis je cassai mon crayon en deux et contemplai une mouche qui rampait au plafond. Toute cette histoire ne m'intéressait absolument pas. Je n'étais pas analyste politique, mais courtier en devises et, en dépit de mon instruction, je n'étais pas enclin à la subtilité. Et je ne pouvais sortir le visage de Caterina de mon esprit.

C'était une femme étrange et délicate, qui ne me faisait pas assez confiance pour me donner son numéro de téléphone ou son adresse. Elle m'avait dit qu'elle vivait chez son père. Ce dernier était très strict et n'aimait pas que des hommes appellent chez lui. Alors nous nous donnions rendez-vous à minuit sous la grosse horloge de la place Saint-Marc, sur tel ou tel campo, sur le parvis de telle ou telle église, sur le pont du Rialto, ou devant l'entrée principale de la Ca' Rezzonico. Elle était toujours là comme elle l'avait promis, et n'avait jamais plus de quelques minutes de retard. Nous passions une heure ou deux ensemble, devant un verre de vin, puis elle disparaissait pour mener la croisade qu'elle s'était imposée : nourrir les chats de la ville.

Durant toute cette période, je dormis à peine. Juste quelques brefs moments entre trois et sept heures du matin — à l'heure où le Grand Canal, sous ma fenêtre, était un insupportable éblouissement de lumière. J'avais atteint un état curieux — au-delà de l'épuisement — où les objets les plus banals de la vie de tous les jours semblaient hyperréalistes, pleins de couleurs vibrantes. Où les ciels gris des jours nuageux luisaient d'un intense et violent embrasement. Le curseur de mon ordinateur, cette petite flèche électronique sautillant entre la lire, le dollar et le yen, me brûlait les yeux. Je ne quittais plus mes lunettes noires, même pour longer les rues étroites au crépuscule. Nous n'avions pas échangé un seul baiser. Nous nous étions à peine touchés, sinon pour nous serrer la main. Et pourtant, je ne pouvais me sortir de l'esprit le visage de Caterina.

12

Une lumière unie, voilée, avait envahi le ciel au-dessus de la lagune. À onze heures du matin, le soleil brillait, en partie occulté par un banc de nuages magnifiques, haut perchés. On apercevait vaguement dans le lointain, contre le bleu du ciel, les sommets des Dolomites. Plus près, par bâbord avant, le campanile de Burano penchait avec désinvolture, formant avec l'horizon un angle de soixante-cinq degrés. Les mouettes et les hirondelles de mer tournoyaient dans l'air. Rinio, aux commandes de l'Arkansas Traveller, était une véritable caricature du yachtsman élégant. Il portait un foulard de soie rouge et jaune soigneusement replié dans le col de sa chemise blanche, et un œillet rouge fiché dans le rebord doré de sa casquette de capitaine. D'une main, il tenait un grand verre de Campari-soda. Son autre main était négligemment posée sur la barre.

— Alors, tu lui as fait l'amour ? me demanda-t-il.

J'eus envie de ne pas répondre. Puis je haussai les épaules.

— Non.

— Combien de fois êtes-vous sortis ensemble ?

— Quatre fois... Non, cinq. Cinq fois.

Il frappa le volant, et l'Arkansas Traveller fit une légère embardée à tribord.

— Giacomo, Giacomo ! (Depuis que nous étions

amis, il m'appelait Giacomo.) Tu dois comprendre que c'est une Italienne, d'accord?

— Une Vénitienne, en fait.

— Bien, très bien... Mais tu oublies l'essentiel. Avec une Italienne, surtout si elle est vénitienne, il faut être très ferme. Il faut se comporter en homme. Tu as envie de son corps? Ne le lui dis pas, ne le lui demande pas. Prends-le! *Capisci*?

Je retournai cette idée dans ma tête pendant une bonne minute.

— Je ne suis pas sûr d'avoir envie d'elle, dis-je. Je veux dire... oui et non. Elle est assez bizarre.

Rinio plissa le front, fit la moue.

— Je ne comprends pas. Elle est séduisante, ou pas?

— Oui et non. Elle est très... inhabituelle.

— Giacomo! Tu es très difficile!

— Tu dois comprendre que je sors d'une liaison de deux ans et demi... commençai-je, mais il m'interrompit d'un geste.

— Mon ami, me dit-il, réponds-moi. Est-ce que tu penses tout le temps à elle? Est-ce que tu la sens tout le temps, juste ici?

Il plaqua une main sur son cœur, comme une griffe.

— Je pense beaucoup à elle, dis-je d'un ton calme.

— Ah! Tu vois! s'exclama-t-il, avec un geste qui embrassait l'horizon. L'amour!

— Pas tout à fait, dis-je en souriant. Je la connais à peine.

— Comment s'appelle-t-elle? Moi, je la connais peut-être, ajouta-t-il avec un sourire narquois.

— Venise est une grande ville, tu sais.

J'hésitai. À l'idée que Rinio avait peut-être couché avec Caterina, mes intestins se contractèrent.

— Elle s'appelle Caterina. Caterina Vendramin.

— Vendramin? (Il fit une grimace signifiant qu'il était impressionné.) C'est un très vieux nom vénitien. Très vieux et très beau. Le nom d'un des premiers doges. Mais j'ignorais...

— Quoi?

— J'ignorais qu'il y avait encore des Vendramin à Venise. J'ai lu dans des livres, à l'école, que la famille s'était éteinte.

— Celle-ci n'est pas éteinte. Et elle a un père qui ne la laisse pas s'éloigner de chez elle.

— Elles ont toujours des pères, rétorqua-t-il. Et des oncles, et des frères, aussi. Mais ce n'est pas cela qui doit t'arrêter!

Et nous éclatâmes de rire.

Nous allâmes chez Cipriani, sur Torcello. L'établissement était ouvert pour quelques jours encore, avant de fermer jusqu'à la prochaine saison. Nous nous installâmes sous la vigne en tonnelle, en face du canal où s'alignaient les luxueux hors-bord. La terrasse était bondée de riches Italiens accompagnés de leurs maîtresses. Des hommes d'affaires râblés et quinquagénaires portant de coûteuses vestes de sport en soie animaient des tables pleines de jeunes femmes dans des robes d'été décolletées.

— Vous aimez le poulpe? demanda la serveuse, qui nous avait entendus parler anglais.

— Oui, dis-je. J'aime beaucoup le poulpe.

Rinio passa la commande pour nous deux : une soupe légère au goût très prononcé de coquillages, des linguinis noircis à l'encre de seiche et accompagnés d'une légère sauce tomate à l'ail, puis le poulpe lui-même — la tête, les tentacules et le reste — servi dans une pâte épaisse concoctée à partir de son encre, le tout arrosé par deux bouteilles d'un vin blanc piquant de Vénétie. C'était excellent. Dans la pénombre verte de la tonnelle, après un bon repas, et légèrement éméché, je ne me sentais plus du tout fatigué. J'étais bien. Venant du bar, un air de jazz flottait jusqu'à nous.

— L'écrivain, ton compatriote... Hemingway. Il venait très souvent dans ce restaurant, me dit Rinio.

— Je devine ce qu'il devait aimer, ici, dis-je en regardant autour de moi.

— Évidemment, c'était il y a longtemps. À l'époque

67

d'Hemingway, Cipriani était un endroit tranquille. Maintenant, c'est plein de touristes.

— Aujourd'hui ? Il me semble que tout le monde est italien, non ?

— Oh, oui, aujourd'hui, la saison est presque finie. Il y a peu de touristes, alors les Italiens reviennent. Mais je pense aussi à Venise, tu vois. L'été, dans ma ville, les touristes sont deux fois plus nombreux que les habitants. Nous n'avons plus les moyens de vivre dans notre propre ville. Les riches étrangers — y compris des Italiens venus d'ailleurs, de Milan, de Turin ou de Rome — achètent les palazzi du Grand Canal. Ils y passent une ou deux semaines au printemps, peut-être un mois en été. Alors le prix des loyers augmente et il n'y a plus de place pour nous, les Vénitiens. La vraie Venise, tu te demandes : où est-elle ? Les îles du Rialto sont de plus en plus comme votre Disneyland, rien que pour les touristes ! Peut-être que la vraie Venise se trouve désormais sur la *Terra Firma*, à Mestre, à Chioggia. Là-bas, il y a des pauvres, il y a une classe moyenne, des gens y travaillent et y habitent. C'est triste, parce que Mestre est un endroit horrible. Beaucoup de raffineries, d'usines chimiques. L'air sent si mauvais...

Après déjeuner, nous allâmes prendre le digestif au bar. Le barman, un ami du cousin de Rinio à Burano, posa sur le comptoir deux petits verres à liqueur et une bouteille ronde d'Unicom, avec un geste signifiant : « Servez-vous à votre guise. » C'était amer, aussi épais que de la peinture. Aussi fort que la Teriaca que j'avais bue avec Caterina, mais sans son arrière-goût prononcé.

— Qu'est-ce que tu as bu, Giacomo ? me demanda Rinio, un sourcil levé.

— Ils appelaient ça de la Teriaca. Ça ressemble à celui-ci, mais en mieux. C'est très bon, en fait.

— La Teriaca n'est pas une liqueur. C'est un médicament très ancien. Il y a longtemps, très longtemps, les gens en buvaient pour se protéger de la peste. Bien entendu, ça n'a jamais servi à rien. Une fois, au XVIᵉ siècle, cinquante mille personnes sont mortes à Venise, et cent mille dans la lagune. Cette Teriaca ne leur a fait aucun effet. Les Vénitiens ont pourtant continué d'en prendre pour tous les maux, pour l'estomac, pour le foie, pour le cœur. Mon grand-père en buvait tous les soirs, comme du vin. Mais de nos jours, le gouvernement interdit de fabriquer de la Teriaca, parce qu'on y met de l'opium, et plusieurs autres choses que le gouvernement n'aime pas.

De l'opium. Tout s'expliquait. Je ne me souvenais toujours pas comment j'étais rentré chez moi cette nuit-là. Je remâchai les mœurs décadentes des amis de Caterina, tandis que Rinio continuait de pérorer. C'était l'homme des idées fixes — ce qui signifie qu'il ne pouvait penser qu'à une chose à la fois.

— Mais que doit-on faire pour notre pauvre Venise ? poursuivit-il en attaquant son troisième verre d'Unicom. La question embarrasse tout le monde. Il doit exister un moyen de permettre aux vrais habitants de vivre et de travailler dans leur ville. Je te le demande : que devient notre cité, sans le peuple qui l'a fait sortir de la lagune ? Elle cesse d'exister. Elle n'est plus qu'un musée, un parc d'attractions. Je dis : Venise aux Vénitiens d'abord, les touristes ensuite ! L'année dernière, le maire...

Mais je ne l'écoutais plus. J'essayais de deviner ce que Caterina faisait au même instant. Sans succès, j'essayai de l'imaginer à la lumière du jour. Une brise chaude agitait la surface du canal. Un groupe de touristes allemands blonds remontait avec raideur l'allée de brique qui venait de l'arrêt du vaporetto. L'ombre du campanile de Santa Maria Assunta s'étirait sur les petits champs d'aubergines et d'oignons, séparés par des haies basses. Voilà six ou sept siècles, comme me l'avait appris mon guide Michelin, Torcello abritait une population aussi dense que Venise elle-même. Vingt mille habitants. Aujourd'hui, c'est un coin tranquille et agréable, recouvert de jardins potagers et de roseaux. L'île abrite le restaurant Cipriani, une poignée de maraîchers et la vieille cathédrale de brique. D'après les livres d'histoire, c'est en l'an 421 que les premiers réfugiés gagnèrent Torcello pour échapper aux invasions barbares sur le continent. Ces Vénitiens trouvèrent, pour les guider à travers l'étendue des marais, un évêque et un vol de colombes sacrées. À l'époque, l'air lui-même devait être chargé de miracles.

Au moment où Rinio finissait son Unicorn, entrèrent deux jeunes Italiennes portant des robes blanches transparentes. Elles s'installèrent à l'extrémité du bar. Elles étaient jolies — cheveux noirs et yeux verts —, et si semblables qu'il aurait pu s'agir de deux sœurs. Des bijoux en or rutilaient sur leur peau tannée par le soleil. L'étoffe extra-fine de leurs robes laissait deviner leurs aréoles sombres. Rinio ôta ses lunettes et les contempla. Une des filles nous jeta un regard — une œillade directe d'appréciation —, puis détourna lentement les yeux. Rinio, très excité, me donna un coup de coude.

— Tu as vu ça? me chuchota-t-il à l'oreille. Elles sont pour nous, mon ami!

— Et ta femme? lui répondis-je de même.

Il sourit, ce qui dévoila ses dents.

— Aujourd'hui, elle n'est pas là. Je suis célibataire.

Une minute plus tard, nous nous approchâmes de l'extrémité du bar. Rinio entama sur-le-champ la conversation. Aucune des deux filles ne parlait anglais, et je n'étais pas d'humeur à me lancer dans le langage des signes. Je laissai Rinio poursuivre avec elles sa discussion animée, et remontai le chemin poussiéreux qui menait à la cathédrale. Je dépassai des vieilles femmes aux napperons de dentelle, et des chats paresseux vautrés à l'ombre des oliviers noueux. L'intérieur de la cathédrale était froid, sombre; il avait tendance à se désagréger, comme n'importe quelle église italienne, et il y régnait l'odeur familière de moisi et d'ossements. Mais les célèbres mosaïques, dans le transept, rayonnaient avec la même force qu'au jour de leur création. Sur les panneaux dorés, on voyait des saints et des démons, des pécheurs nus souffrant les flammes de l'enfer, et des piles de crânes avec des vers se faufilant dans les orbites. Je fixai longuement les deux derniers panneaux, les mains dans les poches, l'épiderme traversé par une curieuse sensation de déjà vu.

13

Un mardi, le signor Emilio Zattare, un des vice-présidents de la banque Comparini, débarqua de Milan. L'immeuble vécut toute la journée dans un tumulte indescriptible. Les secrétaires couraient dans les couloirs, les bras chargés de documents, les téléphones sonnaient sans relâche, des serveurs en veste blanche entraient dans la salle du conseil avec des plateaux de jambon et de fromage, et de grands pots de café. Même Rinio semblait un peu perturbé. Il avait revêtu son plus beau costume, un modèle bleu nuit très élégant et très coûteux dessiné par Francesco Ferre. Il s'efforçait d'avoir l'air occupé dès qu'il entendait des bruits de pas devant la porte de notre bureau, qu'il laissait ouverte pour que chacun puisse voir qu'on y travaillait dur.

Carlo Orti, le directeur aux affaires régionales, entra dans notre bureau. Il s'assit dans le fauteuil pivotant qui nous faisait face, l'air important. En l'honneur de la visite du signor Zattare de Milan, nous informa-t-il, tout le personnel de la banque était invité à la Fenice le lendemain soir, pour assister à une représentation du *Don Giovanni* de Mozart. Il nous remit nos billets, soigneusement enveloppés dans une feuille de papier de soie bleu, comme s'il s'agissait de délicates pièces de verre de Murano.

— Prends mon billet et donne-le à ta femme, dis-je

à Rinio dès le départ de Carlo. Je déteste l'opéra. En outre, demain soir, j'ai rendez-vous avec mon amie.

Rinio se retourna et posa la main sur mon épaule, l'air sérieux.

— Non, Giacomo. Ceci est plus important que n'importe quelle femme. C'est le *business*. Si le signor Zattare t'invite à l'opéra, tu vas à l'opéra.

Nous étions placés dans un coin reculé de la seconde galerie. Une colonne dorée nous masquait la moitié de la scène. Le signor Zattare en personne trônait en bas, dans la loge jadis réservée aux doges de Venise, qui surplombe directement la scène. Pendant l'entracte, je l'aperçus dans le hall, entouré de courtisans. C'était un homme aux cheveux argentés, dont l'air grave rappelait Victor-Emmanuel, le dernier roi d'Italie. Il était accompagné d'une femme à la poitrine plantureuse, en manteau de fourrure, qui ressemblait à une starlette de quatre sous — et qui était très probablement sa femme.

Je m'assoupis par à-coups durant la première heure, et dormis à poings fermés pendant la seconde. Je m'éveillai en sursaut, juste pour voir la statue du Commandeur s'animer et traîner en enfer l'infortuné don Juan. Il passait par une trappe où l'on apercevait des flammes de papier crépon s'agitant dans le courant d'air d'un ventilateur invisible. Je consultai ma montre. La panique me crispa les entrailles. Minuit et quart. J'aurais dû partir un demi-acte plus tôt, pour retrouver Caterina à notre rendez-vous sur la place Saint-Marc.

Je me levai et sortis précipitamment avant les rappels. J'arrivai devant le Florian, notre lieu de rencontre habituel, avec quarante-cinq minutes de retard. La piazza était presque déserte, des serveurs circulaient entre les tables et empilaient les chaises. J'attendis encore une demi-heure, envahi d'un sentiment proche du désespoir. Mon seul lien avec Caterina était un fil extrêmement ténu. Je n'avais ni adresse ni numéro de téléphone, aucun moyen de l'atteindre, et je savais qu'un rendez-vous manqué pouvait signifier que je ne la reverrais jamais. Elle était peut-être mariée... Cette pensée me frappa avec la violence d'une décharge électrique. Oui, elle était probablement mariée, elle avait peut-être même des enfants. Je remontai lentement la Calle dei Fabbri en retournant cette hypothèse dans ma tête. Je refusais d'imaginer Caterina dans le lit d'un autre homme. Je ne pouvais l'imaginer en mère de famille, mais c'était possible. Peut-être valait-il mieux ne pas la revoir. Peut-être valait-il mieux...

— Jack...

Je sursautai. Caterina s'avança hors de la pénombre du campo San Benedetto, juste avant le coin de mon hôtel. Ce soir-là, le vent de la lagune était plutôt frais. Elle portait son domino noir serré contre elle, et la capuche lui couvrait le visage.

— Je me suis souvenue, tu m'avais dit que tu habitais au Palazzo Bragadino. On m'a répondu que tu n'étais pas là, qu'on ne savait pas où tu étais.

Elle s'interrompit soudain et me regarda de bas en haut. Sur l'insistance de Rinio, j'avais loué un smoking pour aller à l'opéra.

— Tu étais à la Fenice.

— Comment le sais-tu ?

— Où peut-on aller en pleine nuit, à Venise, habillé comme ça ?

— C'était pour mon travail. Je n'ai pas pu y échapper. J'aurais pu t'appeler, mais je ne connais pas ton numéro de téléphone.

— Mon père... (Elle hésita.) Tu vois, nous n'avons pas le téléphone.

— Caterina, tu es mariée ?

Je cherchai ses yeux noirs, dans l'ombre du capuchon. Elle détourna le regard. Pendant un instant, tout Venise s'immobilisa.

Par-dessus son épaule, au bout de l'étroite allée qui

longeait la façade de l'hôtel, je vis les lumières rouges d'un canot de police se refléter sur les eaux noires du Grand Canal. Elle s'avança vers moi et posa sa paume sur ma joue. Sa main était fraîche et sèche. Une légère vibration remonta le long de ma colonne vertébrale.

— J'aimerais voir ton appartement, dit-elle. L'endroit où tu vis. Tu veux bien ?

Caterina explora tranquillement la suite. Elle prenait des objets familiers — une cuiller, mon rasoir électrique, un photo-cube de plastique que j'avais apporté de chez moi — et les examinait comme des trésors exotiques dans un repaire de voleurs digne des *Mille et Une Nuits*. Elle passa dans la salle de bains, essaya les robinets, inspecta l'armoire à pharmacie pendant cinq bonnes minutes, souleva les flacons d'aspirine et d'antihistaminique, les tubes de cortisone et de dentifrice, puis elle passa dans la chambre et rebondit sur le lit défait, comme une cliente testant un sommier dans un magasin de meubles. Un moment plus tard, elle s'empara de l'objet de plastique beige qu'elle venait de découvrir sous les draps entortillés. Un appareil ovale de la taille d'un œuf d'autruche, muni d'un clavier et de cinq boutons bleus.

— Je viens de le recevoir de chez moi, dis-je depuis la porte de la chambre. Je l'avais commandé sur catalogue à Sharper Image.

— *Come ?*

— Peu importe. Si tu veux savoir comment ça marche, appuie sur un des boutons.

Elle le tenait entre ses doigts, hésitante.

— Vas-y.

Elle enfonça l'un des boutons bleus. La machine fit entendre un bruit étouffé, électronique et monotone. Caterina la jeta sur les draps avec un petit cri.

— Ça, c'était *Big Sur*, dis-je en riant. C'est un appareil pour insomniaques. Il produit des sons qui aident à trouver le sommeil. Regarde...

Je m'assis à côté d'elle et lui fis la démonstration complète. Il y avait *Pluie dans la jungle*, *Gazouillis de ruisseau*, *Nuit d'octobre* et *Vent dans les saules*. C'était toujours plus ou moins la même chose — comme un bruit de ventilateur tournant dans un tunnel aérodynamique.

Caterina fronça les sourcils.

— Tu aimes ça?

— Non.

— Ça t'aide à t'endormir?

— Pas vraiment.

Elle n'avait pas encore ôté son domino. Elle se releva brusquement et le fit pivoter autour de ses épaules. Je vis qu'elle ne portait guère que le strict minimum : un robe noire très courte et décolletée, dont le corsage était maintenu par des bretelles aussi fines que des spaghettis, et fixées par de minuscules boucles en forme de coquille. Ses épaules luisaient sous la lumière blanche du plafonnier. Ses pieds nus, sur le marbre terne du sol, avaient l'air glacés.

— Il ne fait pas un peu frisquet pour se balader pieds nus? lui demandai-je.

Caterina ignora ma question. Elle retourna au salon et reprit le photo-cube. Cette fois, elle le retourna entre ses doigts, étudiant chaque face. Il y avait une photo de maman, les mains jointes, austère comme une nonne, devant la balançoire dans la cour de notre vieux bungalow à Shirlington; une photo de mon père au Pentagone, un sourire sinistre aux lèvres, le jour de sa promotion au grade de colonel; une photo d'Elizabeth toute petite, en boule dans un panier de linge; une photo de moi à douze ans, sur le terrain de manœuvres de Saint-Albert, portant l'uniforme gris serré et le shako à grand plumet de l'académie. Les deux dernières faces étaient occupées par des cartes postales de la prairie aux environs de Lincoln : des champs jaunes de blé ployant sous le vent, le ciel bleu vif aussi vaste que le monde entier. J'avais une douzaine de cubes de ce genre, rangés sur une étagère, chez moi, à Arlington Mews. Celui-ci, c'était le cube de l'enfance. Quand on fait un long voyage, on doit toujours emporter avec soi quelques souvenirs de son foyer. Mais en cet instant précis, j'aurais été incapable d'expliquer pourquoi j'avais apporté précisément celui-ci.

— Tu viens d'une famille de soldats, dit Caterina, les lèvres pincées.

— Seulement mon père. Je me suis fait virer du collège militaire pendant ma troisième année. Il était dans l'infanterie, Deuxième Guerre mondiale, commandement de campagne... puis la Corée et le Vietnam. Un soldat professionnel.

— Ici, c'est ta mère ?

— Oui.

— Elle a l'air triste.

— Mon père et elle ne s'entendaient plus très bien, à l'époque. Si elle avait vécu, je pense qu'ils auraient divorcé. Mais elle est morte peu après que cette photo a été prise. J'étais encore enfant.

— Oui, je le savais.

— Comment ?

J'étais surpris.

— C'est inscrit sur ton visage, dit Caterina, et elle leva vers moi ses yeux sombres. Tu as le regard d'un orphelin. Comme si tout le monde t'avait abandonné. Ton père, il est mort, aussi ?

— Non, mon père est toujours très vivant. C'est un salaud, mais il vit toujours.

Caterina fronça les sourcils et retourna le cube entre ses doigts. Son regard s'éclaira. Elle tapa du doigt la carte postale de la prairie.

— Ah ! C'est chez toi ? demanda-t-elle.

— Non, pas vraiment. C'est près de l'endroit où j'allais à l'école.

Elle l'examina de plus près.

— Comme c'est beau ! Comment ça s'appelle ?

— Le Nebraska.

— C'est près de la mer ?

77

Je souris.

— La mer la plus proche est à près de deux mille cinq cents kilomètres. Il y a quelques lacs, mais très petits, et pleins de poissons-chats.

Elle eut l'air perplexe.

— *Non capisco.*

— Des poissons avec de longues moustaches, comme celles des chats. Parfois, quand il y a de fortes pluies, ils sortent de l'eau et traversent les routes. Les automobilistes doivent faire très attention.

Caterina me fixa un moment, incrédule. Puis elle porta la main à ses lèvres et se mit à rire. Cela lui arrivait rarement, et le son de son rire était surprenant, très beau, aussi clair que le tintement d'une cloche.

— Oh, tu me fais marcher. Des poissons-chats ? C'est très drôle !

— Comme tu voudras, dis-je en souriant.

Quelques minutes plus tard, ayant fini de fureter dans la suite, Caterina se rendit dans la salle de bains. J'entendis le léger clapotement de l'eau qui coulait. Elle ne ferma pas la porte complètement, et de ma place dans le salon, je la voyais qui se lavait les pieds dans le bidet. Elle les savonna des deux mains, les rinça, puis les savonna de nouveau. Dans la cuvette, l'eau était noire. J'avais l'impression d'être un étranger dans mon propre appartement. Je ne savais comment elle s'y était prise, mais en un quart d'heure, elle y était comme chez elle. Je feuilletai le numéro de l'*Economist* posé sur la table basse. Il y avait un long article sur la balance commerciale américaine, de plus en plus déficitaire vis-à-vis de la Corée du Sud, et un autre encore plus long sur les contrefaçons de produits de marque en Chine. Des sujets qui m'intéressaient, car ils sont liés au marché des devises, mais en cet instant précis, je m'en fichais complètement.

Caterina ressortit de la salle de bains. Elle était nue. Elle tenait à la main, en paquet, sa robe et son slip.

Elle ne dit pas un mot. Elle alla vers la chambre. Je la suivis des yeux. Pendant un instant, je ne sus que faire. Puis je posai mon magazine et l'accompagnai jusqu'à la porte de la chambre. Elle s'était déjà glissée sous les draps. Je fis un pas vers le lit, mais elle leva la main.

— S'il te plaît, éteins la lumière.

J'actionnai l'interrupteur pour éteindre le plafonnier. Les lumières de l'extérieur, le long du Grand Canal, produisaient un léger reflet argenté sur sa peau nue. Ses mamelons me firent penser à de gros scarabées sombres accrochés au bout de ses petits seins.

— Je ne fais pas cela avec tout le monde, dit-elle.

— Bien sûr.

— Et il ne faut pas me demander plus que ce que je peux donner. J'ai déjà donné beaucoup trop.

Je ne savais comment interpréter cette phrase. Je mis cela sur le compte du catholicisme résiduel des Italiennes. Autre pays, autre devise, me dis-je. On verra plus tard pour le taux de change. J'acquiesçai donc avec un grognement et laissai tomber mon pantalon sur le sol. La boucle de ma ceinture tinta légèrement en heurtant les carreaux de marbre. Je bandais déjà. Je m'agenouillai sur le lit et la pris dans mes bras. Elle était froide comme le marbre. Pendant une fraction de seconde, j'eus la vision étrange de tailleurs de pierres tombales et de caveaux mortuaires — puis son corps commença à s'échauffer sous mes caresses.

14

Nous nous frayâmes un chemin, Rinio et moi, dans la foule de midi. Nous allions au Caffè Cagliostro, un bar à sandwiches vénitien situé en face de la banque, de l'autre côté du canal. Venise n'est pas une ville pour qui veut se nourrir correctement dans la journée. Les meilleurs restaurants n'ouvrent pas avant huit heures et demie du soir. En guise de déjeuner, beaucoup de Vénitiens se contentent d'avaler un expresso et deux ou trois de ces petits sandwiches qui évoquent les hors-d'œuvre d'une réception ratée. Il s'agit de tranches triangulaires d'un pain blanc spongieux sans croûte, beurrées de mayonnaise et fourrées d'une pâte grasse à base d'œuf dur, oignon et crevettes — ou œuf, asperge et oignon, ou n'importe quelle combinaison d'œuf et d'autres ingrédients, et, toujours, de la mayonnaise en guise de liant.

Rinio commanda une assiette de dix de ces immondes petites choses. Il trouva une place au comptoir contre la vitrine, avec vue sur la foule qui défilait dehors, et commença à se bourrer de sandwiches, qu'il engouffrait deux par deux. Il poussait un grognement chaque fois qu'une jolie femme passait dans la rue (il pouvait monter jusqu'à deux grognements pour un beau cul) et jetait un regard concupiscent barbouillé de mayonnaise à chaque poitrine opulente tressautant sous un corsage moulant. C'était très comique, mais il n'en savait rien. J'avais beaucoup de mal à ne pas éclater de rire.

Je bus deux expressos et grignotai un demi-*biscotto*, puis je contemplai le carré de ciel bleu clair visible au-dessus des vieilles bâtisses. Il y avait dans l'air, ce matin-là, une odeur froide et stimulante qui annonçait la venue de l'hiver. Je me représentai les pics lointains des Dolomites couverts de neige, des champs immaculés, une poudre aussi blanche que la peau de Caterina. Je m'imaginai en train de lui faire à nouveau l'amour, et une excitation délicieuse monta entre mes jambes.

Un instant plus tard, je dus reprendre mes esprits. Rinio agitait devant mon nez un sandwich à demi dévoré. Il essayait de parler, mais les mots se mêlaient à l'œuf, à la crevette et à la mayonnaise.

— Mâche d'abord, Rinio, puis avale.

Il mâcha, avala, et s'éclaircit la gorge.

— Tu n'es pas dans ton état normal, aujourd'hui, Giacomo. (Il essuya la mayonnaise qui coulait sur son menton et m'observa longuement.) Oui, il se passe sûrement quelque chose. Je me demande bien ce que c'est.

Je sentis que mes oreilles rougissaient.

— J'ignore de quoi tu parles.

Mais j'étais incapable de le regarder en face. Les muscles de mes cuisses se tendaient et je pensais à Caterina.

— Tu as l'air... (Il agita de nouveau sa tranche de pain, et un gros morceau de crevette rose tomba sur son soulier.) Tu as l'air... Comment dit-on, en Amérique ?... Tu as l'air du chat qui vient d'avaler le perroquet.

— Le canari.

— *Si, si,* le canari ! (Il marqua un temps d'arrêt, puis donna une claque sur le comptoir.) Je sais ! C'est cette femme, la Vendramin ! Je me trompe ? Tu l'as baisée !

Il était très fort au jeu des devinettes. Je secouai la tête mais ne pus retenir un sourire.

— Ah, je le savais! s'exclama-t-il. C'est vrai, non?

— Ça ne te regarde pas, dis-je, toujours souriant.

Mais il ne voulait pas en démordre. Il était obstiné et totalement dépourvu de pudeur. Pour finir, de retour au bureau, je lui confiai la plus grande partie de l'histoire, n'omettant que certains détails intimes. Il se renversa en arrière sur son fauteuil, dont le cuir craqua, et m'écouta avec attention. Il ne faut jamais sous-estimer la lucidité d'un séducteur né pour ce qui concerne les femmes. Il avait une connaissance ency-clopédique — et libre de toute considération morale — de tout ce qui touche aux affaires du sexe.

— Tu ne sais toujours pas où elle habite. Et tu ne sais rien d'elle, observa-t-il quand j'eus fini.

— C'est cela.

— Tu veux mon avis?

— Pas vraiment.

— Je te le donne quand même. Tu dois comprendre que cette femme a non seulement un père, mais aussi un mari. Un mari jaloux.

— Tu n'en sais rien.

— Non, mais je connais les mœurs des Vénitiennes. Ça, tu me l'accordes, n'est-ce pas?

— Oui, je te l'accorde.

— Et je pense que ta Vendramin, elle cache quelque chose de très important. Il faut être très prudent avec les Vénitiennes, Giacomo. Je ne peux pas être plus clair. Les Vénitiennes sont très secrètes, très dange-reuses. Ma femme : elle est séduisante, c'est une femme bien, n'est-ce pas?

— Bien sûr.

— Eh bien, à ton avis, pourquoi ai-je tant de maî-tresses? La raison, la voici : je trompe ma femme, car si je ne le fais pas, c'est elle qui me trompera.

Je songeai qu'il valait mieux ne pas contester la logique de ce raisonnement.

— Il est temps de reprendre le boulot. Le marché

des changes est un train à grande vitesse qui n'attend personne.

Mais Rinio n'en avait pas fini avec moi.

— Allons, dis-moi encore une chose. (Il se pencha par-dessus son bureau. Sa voix n'était plus qu'un chuchotement lascif.) Comment est-elle, au lit, ta Vendramin ? Est-ce qu'elle est chaude ? Est-ce qu'elle...

Je l'interrompis brutalement. Je m'en voulais d'avoir laissé la conversation aller si loin.

— Vas-y doucement, Rinio !

Puis je me tournai vers mon écran. Vers les chiffres et les flèches représentant en langage codé et luminescent les milliards qui changeaient de main à chaque seconde.

Caterina avait une position de prédilection, qu'elle appelait la *vongola*. Elle se couchait sur le ventre au bord du matelas, repliait les genoux contre sa poitrine, levait la croupe en l'air et découvrait son joli minou, rose comme une palourde dans sa coquille de chair. Mes mains couraient parfois sur son corps pendant un quart d'heure avant de s'engager plus avant. Elle soupirait, murmurait, rosissait sous mes caresses de façon charmante. Son corps ne montrait pas la moindre imperfection, il était étrangement pâle et lisse comme du marbre poli. Même de si près, j'avais du mal à distinguer le moindre pore, la moindre pilosité. Finalement, je m'emparais de ses hanches et la pénétrais debout, par-derrière. Elle geignait, poussait de grands cris, appelait Dieu dans sa langue si douce, tanguait et regimbait contre moi, griffait les draps.

Mais à part la *vongola* et une ou deux autres positions intéressantes, elle montrait au lit une délicieuse absence d'inventivité. Elle ne connaissait rien des acrobaties que Cynthia (comme toutes les Américaines que j'avais connues) considérait comme des objets d'étude. Aux États-Unis, de nos jours, il n'est pas d'activité sexuelle qui ne soit souillée d'une manière ou de l'autre par la pornographie. Ou, en d'autres termes, par la publicité. Les femmes s'adonnent à certaines pratiques sexuelles — la fellation, le sado-masochisme, la sodomie, quoi d'autre encore — non parce qu'elles leur viennent spontanément à l'esprit, mais parce que tout le monde a lu quelque chose là-dessus dans *Cosmopolitan* ou le forum de *Penthouse*, ou vu des acteurs s'y livrer dans des films X sur la chaîne de *Playboy*, ou entendu le docteur Untel, le fameux thérapeute, décrire à la radio les composantes indispensables à une vie sexuelle épanouie et dynamique.

Caterina ignorait tout de ces modernes inepties. Pour elle, le sexe n'était pas un sujet de discussion publique ou de débat universitaire, ni un outil pour affranchir les femmes après des siècles de suprématie mâle, rien de ce boniment politique. Elle faisait l'amour comme si elle n'avait jamais vu de film, comme si elle n'avait jamais vu quelqu'un d'autre faire l'amour. Pour elle, le sexe était un écho dans l'obscurité, le léger murmure échangé par deux âmes que sépare la plus fine barrière de la chair.

15

La voix de Warren devint un gémissement métallique, par-dessus les parasites qui séparaient les deux continents. Puis le silence se fit sur la ligne. C'était la seconde fois en cinq minutes que la communication était interrompue. J'appelai Vida sur l'interphone.

— Essayons encore une fois. Le troisième essai porte bonheur.

Il fallut trois autres tentatives pour obtenir enfin une ligne correcte. Warren avait l'air de méchante humeur. J'imaginai la lumière du soleil ruisselant par les stores de son bureau, la vue sur Lafayette Park et la Maison-Blanche derrière ses nouvelles barrières de béton, de l'autre côté de Pennsylvania Avenue.

— J'ai une réunion à trois heures et demie, Jack.

— Désolé. Mais le téléphone italien... Venise est encore plus loin que tu ne crois.

— Je dois aller au plus court, Jack. Je fais entrer Candace Searles sur la ligne. Tu la connais, n'est-ce pas ?

— Oui, bien sûr. Nous nous sommes rencontrés à la Convention du CMVC à Chicago, l'année dernière.

J'avais le souvenir d'un petit bout de femme, une dure à cuire avec d'épaisses lunettes rondes et une poitrine énorme. Un courtier de premier ordre. Elle n'avait ni mari ni enfants. Elle avait épousé son boulot comme les nonnes épousent le Christ : une relation platonique, absolue mais absolument dénuée d'orgasme.

— Elle est promue comme premier *trader* là-bas, et je tenais à ce qu'elle participe à cette conversation.

— Très heureux d'apprendre qu'elle est dans le coup! dis-je, pris d'une angoisse soudaine.

C'était une surprise désagréable. Un des petits trucs directoriaux de Warren pour tester la souplesse de ses subordonnés placés sous tension.

— Salut, Jack! Comment va Venise?

C'était la voix monocorde de Candace, son accent du Midwest. Elle évoquait un après-midi glacé sur le Loop, le trafic remontant Lake Shore Drive à tombeau ouvert, le vent mauvais soufflant des plaines du Wisconsin.

— Super, Candace. Venise est une ville splendide. Le Grand Canal...

— J'ai peur qu'on n'ait pas le temps de bavarder, m'interrompit Warren. J'ai une réunion dans un quart d'heure. Tu veux commencer, Candace?

Elle attendit une seconde, puis passa à l'attaque.

— Jack, nous ne sommes pas satisfaits du rapport que tu nous as envoyé la semaine dernière. Je sais parfaitement qu'un déplacement à l'étranger exige une période d'adaptation. Mais tu travailles sur la lire depuis des années. Ton compte rendu n'est pas du tout à la hauteur.

— Je vois, répondis-je en essayant de rester calme.

— Candace a raison, Jack, approuva Warren. J'aurais pu écrire ce rapport moi-même, à partir d'extraits du *New York Times*, de *Newsweek* ou de Reuters. Il n'y a rien de nouveau. Rien de nouveau, vraiment.

— J'ai le sentiment que tu ne parles pas aux gens, Jack, observa Candace.

— Oh, si, je parle aux gens.

— Alors tu ne t'adresses pas aux bonnes personnes, dit Warren d'un ton brusque.

— Il nous faut des infos de l'intérieur, insista Candace. Des infos qui nous aideraient à prendre les bonnes décisions. Il y a des milliards en jeu, Jack.

— Oui, je suis au courant. Mais vous devez comprendre que Venise est un endroit très reculé. Ça se trouve au milieu d'une lagune. Pour les gens d'ici, le reste de l'Italie n'existe pas. En fait...

— Tu n'écoutes pas ce qu'on te dit, coupa Warren. Tout simplement, nous ne sommes pas contents du boulot que tu as fait jusqu'ici. Ça commence à ronchonner, là-haut... Je ne citerai pas de noms. Mais tu dois faire quelque chose pour renverser la vapeur. Considère ceci comme une mise en garde.

Il y eut un silence, juste interrompu par la friture. Je pouvais presque entendre le bruit de l'océan qui nous séparait, sentir la poussée des continents.

À Chicago, Candace s'éclaircit la voix. À Washington, Warren soupira.

— Vous n'êtes pas très clairs, tous les deux, fis-je d'une voix tendue. Des suggestions concrètes ?

— Parle aux gens, Jack, dit Candace. Des gens importants.

Je ne répondis rien.

— Candace, je me charge de conclure, dit Warren.

— OK. Bonne chance, Jack, dit Candace sans conviction.

Chicago quitta la scène.

Warren attendit un moment avant de reprendre :

— Qu'est-ce que tu fous, là-bas, Jack ? Ton chiffre est nul...

— Tu m'as dit de ne pas m'inquiéter du chiffre, Warren.

— Je t'ai dit de rester en piste. Tu as enregistré une perte de trois millions de dollars il y a deux semaines. Un débutant aurait sauvé l'affaire sur un simple coup de fil. Tu n'as pas fixé tes taux limites, c'est ça ?

— Ça a été salement épuisant. Le décalage horaire...

— Tu es là-bas depuis des semaines, Jack ! (Puis il

marqua un arrêt et continua plus calmement :) Il ne faut pas que ta vie privée affecte ton rendement.

Je me hérissai.

— Que veux-tu dire ?

— J'ignore ce qui s'est passé entre Cynthia et toi. Mais je sais qu'elle est dans tous ses états. Peut-être devrais-tu l'appeler, faire le tour de la question avec elle. Il est bon d'avoir quelqu'un vers qui se tourner.

Je faillis éclater de rire. Depuis mon départ de Washington, je n'avais pas pensé à Cynthia. J'avais l'impression qu'elle appartenait à une autre vie.

— OK, Warren, finis-je par articuler. Merci du conseil.

Quand je raccrochai, quelques minutes plus tard, j'avais envie de hurler. On m'avait expédié à Venise pour remplir une mission précise, dont les règles avaient changé en cours de route. L'entrée en lice de Candace Searles était de toute évidence une manœuvre tactique de Warren. La nouvelle de mon échec allait sans doute se répandre, par e-mail et dans les conversations de couloir, dans toutes les salles de Washington, Chicago et New York. Mais pourquoi ? Pour m'humilier ? Warren cherchait-il un prétexte pour me mettre à la porte ? Pendant quelques terribles minutes, je m'abandonnai à la pire des paranoïas, le crâne plein de complots et de conspirations. J'essayai de me remémorer chaque mot de notre conversation pour y trouver des formules à double sens et des allusions cachées, jusqu'à en avoir la migraine.

Mais la réponse était beaucoup plus simple. Je faisais du mauvais travail, point final. Je n'avais pas eu une bonne nuit de sommeil — je veux dire une belle tranche d'oubli, de huit heures au moins — depuis que j'étais arrivé dans ce pays. Et quand on manque de sommeil, tout s'enfonce irrémédiablement dans une brume grise et lénifiante. Les profits et les pertes, l'ambition, la volonté de pouvoir. Il y avait aussi quelque chose dans l'air torpide de Venise, les immeubles qui tombent en ruine, son atmosphère languissante. À quoi sert-il de se battre quand tous les efforts doivent sombrer un jour ou l'autre dans la lagune ? Telle est la question de Venise à l'homme qui veut lutter.

Quelques heures plus tard, au crépuscule, épuisé, je franchis le pont de Sangallo et descendis vers la place Saint-Marc, simplement pour regarder le soleil se coucher derrière le dôme blanc de la Salute.

16

Un calme plat régnait lorsque minuit sonna au Casino municipal, sur le Grand Canal. Les croupiers se tenaient sans rien faire derrière les roulettes, l'air de se morfondre. De temps en temps, l'un d'eux faisait tourner sa roue, comme pour s'assurer qu'elle fonctionnait toujours, et le ronronnement inutile résonnait dans la grande salle. Aux tables de baccara, les donneurs battaient négligemment leurs cartes. Des serveuses en minirobe verte et tablier blanc bavardaient à voix basse à leur poste d'attente. Dans le fond de la salle, deux femmes d'une cinquantaine d'années actionnaient des machines à sous. Les haut-parleurs suspendus au-dessus du bar diffusaient du Chuck Berry à faible volume. L'endroit évoquait un aéroport de province après le départ du dernier vol pour le Sud. Personne ne savait quand il y en aurait un autre.

Caterina était assise, seule, à la table de roulette la plus proche des fenêtres ouvertes. Son parfum se mêlait à l'odeur salée du canal dans l'air frais de la nuit. Un verre de scotch se trouvait à côté d'elle. Les glaçons avaient fondu. Elle portait une robe de soie bleue, avec une grosse fleur de soie rose fichée entre ses seins. Un tas de jetons de dix mille lires s'étalait devant elle, sur le tapis de feutre vert. J'estimai qu'il y avait là beaucoup d'argent. Peut-être un million de lires. Quand elle se leva, je vis qu'elle me dépassait d'une tête. Elle dut se pencher pour me baiser le front. Elle portait de monstrueuses chaussures à semelles compensées des années soixante-dix, éraflées et recouvertes d'un velours vert décoloré. Les semelles, bizarres, étaient rondes et festonnées à la base. Elles s'effilaient en formant une sorte de pédoncule de vingt-cinq centimètres de haut, de sorte qu'on avait l'impression qu'elle marchait sur de grosses marguerites renversées.

— Tu m'as dit qu'il faisait trop froid pour marcher pieds nus, dit-elle. Alors ici, je porte des chaussures.

Elle se renversa en arrière sur son siège. Quand je m'assis à côté d'elle, elle posa une jambe à la peau douce sur mes genoux. Elle était ivre, son haleine empestait l'alcool.

— Tu aimes mes chaussures?

— Elles sont très... impressionnantes. D'où viennent-elles?

— Ce sont des clopines, dit-elle. Les chaussures de Venise. Je les ai trouvées chez mon père, couvertes de poussière. Je les ai nettoyées, et je les porte pour toi, ce soir. Jadis, toutes les femmes de Venise portaient les mêmes chaussures, mais plus grandes, beaucoup plus grandes. (Elle montra son talon.) Trente, quarante centimètres. Elles ne pouvaient pas descendre dans la rue sans deux servantes pour les aider à marcher.

— Et cela rimait à quoi?

Elle m'adressa un ricanement aviné.

— Comme toujours avec la mode, le but est de contrôler les femmes. Une femme ne peut aller loin avec ses clopines. Elle ne peut marcher jusque chez son amant.

Elle se pencha en avant et me donna un baiser humide, lèvres entrouvertes. Je m'écartai, un peu embarrassé. Le croupier nous observait, impassible.

— Tu es ivre, dis-je.

Elle fit la moue.

— Je suis ivre, peut-être. C'est à cause de mon père,

il est furieux contre moi. Il est au courant, maintenant, à ton sujet. Il n'aime pas les Américains.

— Comment est-il au courant ? Tu le lui as dit ?

Elle se pencha encore plus près.

— Il voit tout, murmura-t-elle. Tout. Pour lui, il n'y a pas de secrets.

Je n'aimais pas cela. Le vieux salaud nous espionnait-il ? Mais je me retins.

— Bien. Je suis heureux qu'il soit au courant. Peut-être pourrai-je enfin connaître ton adresse. Rencontrer le vieux. Venir dîner un de ces soirs.

— Non. (Caterina frissonna. Ses doigts se crispèrent sur mon bras.) Tu ne dois pas venir chez moi. Jamais. Promets-moi.

Au même instant, le croupier lança légèrement la roulette, qui fit entendre un léger bruit de crécelle.

— *Signora, vuole continuare a giocare ?*

— *Oh, si, si.*

Caterina se redressa sur son siège et poussa toute la pile de jetons sur le rouge.

— Hé, est-ce bien raisonnable ? protestai-je, très inquiet. Tu risques de tout perdre d'un seul coup.

Elle eut un sourire dédaigneux.

— Je gagne, ce soir. Je gagne toujours. Il est impossible que je perde.

Elle fit un signe de tête au croupier. Un instant plus tard, il lança la roulette pour de bon.

— *Rien ne va plus*, dit-il dans un français coloré par son accent italien.

Il lança la boule blanche, qui tourna en vrombissant avant de rebondir au-dessus des encoches. Elle ralentit. Je retins mon souffle. Caterina la suivait des yeux.

— Vingt-trois, rouge, dit-elle tout bas.

Trois secondes plus tard, la boule atterrissait droit dans l'encoche portant le numéro vingt-trois, rouge. Je sentis ma nuque se raidir.

— Comment as-tu fait cela ?

— C'est facile. Regarde bien, je recommence.

Sans ciller, le croupier poussa une pile de jetons

bleus de dix mille lires sur le velours. Caterina les y laissa.

— Seize, rouge, dit-elle.

Cette fois, la boule sembla hésiter sur le rebord, entre le seize, rouge, et le trente-trois, noir. Je crus que c'était perdu. Puis elle vacilla de l'autre côté. Seize, rouge. Caterina le refit encore deux fois de suite. Dix-huit, rouge. Vingt-sept, rouge. Elle plissait les yeux comme un chat, se concentrait, puis annonçait le numéro, très doucement, au moins deux ou trois tours avant que la boule ne tombe dans l'encoche. C'était stupéfiant. J'étais muet de surprise. À Vegas, elle aurait gagné des millions avant que la brigade des jeux du Nevada ne comprenne son truc, quel qu'il soit. Au bout de trois coups, elle avait amassé quatre millions de lires.

Le croupier se redressa et inclina la tête à demi.

— *Signora, mi scusi, ma devo cambiare la ruota.*

Caterina poussa une petite pile de jetons de dix mille lires vers lui, sur le feutre, et lui envoya un baiser.

— *Grazie, signora.*

Il donna un léger coup sur la table, tint les jetons en évidence pour les caméras de surveillance, puis les glissa dans ses poches et fila vers le bar. Un instant plus tard, deux hommes en veste noire aux allures de gangsters vinrent démonter la roulette. Ils la soulevèrent en quatre morceaux comme une pizza coupée en diagonale et rangèrent chaque fragment dans une boîte doublée de feutre.

— Eh bien ! On dirait que tu as fait sauter la banque ! dis-je.

J'avais les paumes moites, les genoux tremblants. Avec un sourire, elle m'entoura le cou de ses bras.

— Ils changent simplement les roulettes, *caro*. Ils le font trois fois par soirée.

— Quel est le secret ? Tu as un truc ? C'est de la perception extrasensorielle, ou quoi ?

— Ce n'est rien du tout, riposta-t-elle en agitant la main. Un jeu d'enfant.

— Mais tu as un tas d'argent, là.

Je regardais avec des yeux ronds la pile de jetons, sur la table.

— Mon pauvre ami ! Tu penses beaucoup trop, tout le temps, à l'argent !

— Facile à dire si... commençai-je. (Au même instant, comme pour souligner son propos, ma *market watch* se mit à sonner, deux longs, deux courts, dans la poche de ma veste.) Excuse-moi, dis-je brusquement.

Je détachai ses bras de mon cou et plongeai la main dans ma poche. Mais avant que j'aie le temps d'allumer l'écran, Caterina tendit le bras, m'arracha le boîtier des mains et d'un geste circulaire le balança par la fenêtre. Pendant un instant, je restai confondu, tandis qu'il disparaissait dans l'obscurité.

Je la repoussai sans ménagement et me précipitai vers la fenêtre. J'entendis le bruit de plongeon, en bas, et j'eus l'impression d'apercevoir une minuscule lueur verte sombrant dans l'eau noire. Quel que soit le message — massacres au Burundi, fusions dans la sidérurgie polonaise, chute du dollar, remontée du mark, maintien de la livre sterling —, je n'en prendrais jamais connaissance.

Je me tournai vers elle, furieux.

— Tu as jeté ma *market watch* dans le Grand Canal ! m'écriai-je. Espèce de garce ! Cet appareil est très important pour mon travail. Très important ! Il va me falloir des semaines pour en faire venir un autre des États-Unis ! Et mon patron va le savoir, et il me traitera d'imbécile. Nom de Dieu de merde, c'était un geste stupide !

Elle se dressa, en déséquilibre sur ses talons de vingt-cinq centimètres. Quand elle fut tout à fait debout, ses yeux noirs lancèrent des éclairs.

— Tu peux me traiter de tous les noms, je m'en fiche, dit-elle d'un ton glacé. Mais je t'interdis de jurer, en ma présence, sur le nom du Sauveur ! Quel qu'en soit le motif. Je vais te dire une chose... Les heures de ta vie, elles s'échappent, elles sont perdues dans la course à l'argent, à toujours plus d'argent. Prends tout ! (Elle montra les jetons empilés sur la table, d'un geste méprisant.) Achète-toi une autre de tes stupides machines !

Elle tourna les talons et s'éloigna en chancelant vers les marches qui menaient au porche d'eau.

Je la regardai partir en broyant du noir. Dès qu'elle eut disparu en bas de l'escalier, je me sentis mal, mais c'était trop tard pour essayer de l'arrêter. Je me rassis à la table, essuyai la sueur qui perlait sur ma lèvre supérieure, et commençai à ranger les jetons en tas bien nets. L'argent, c'est de l'argent. L'argent est dénué de conscience et n'appartient qu'à l'homme assez sage pour le ramasser. Seuls les imbéciles s'imaginent pouvoir s'en passer.

17

Je m'éveillai d'un cauchemar pour retrouver la puanteur du chaland éboueur stationné sous ma fenêtre. Mes poings serrés cramponnaient des bouts de drap chiffonnés, mon oreiller était trempé et glacé par la sueur.

Dans mon cauchemar — qui s'effaçait rapidement de ma mémoire —, j'étais assis sur des coussins noirs, dans une longue gondole noire au milieu d'une lagune désolée. Je portais mon complet veston et le vieux shako à plume noire de l'école Saint-Albert. Aucun gondolier n'était en vue. Cette barque sombre semblait se diriger toute seule, contournant les massifs emmêlés d'herbe des marais et les îles parsemées de tombes vides. Des oiseaux bizarres criaient dans le lointain, leurs lamentations se répercutaient sous la voûte céleste grise. Je dérivais lentement à travers une étendue déserte et me dirigeais vers un objet qui dansait sur l'eau. Pas un souffle d'air ne troublait la surface, aucun vent n'agitait la moindre touffe d'herbe aquatique.

Enfin, l'objet fut à ma portée. Je vis qu'il s'agissait de la grande boîte à biscuits métallique dans laquelle j'avais caché le cadavre d'Elizabeth. Elle se balançait lentement sur l'eau. Des cris pitoyables venaient de l'intérieur de la boîte. Contre ma volonté, je tendis le bras et je la sortis de l'eau, dégoulinante. Contre ma volonté, je forçai le couvercle rouillé, je pris la chose ignoble, pourrissante et détrempée qui s'y trouvait, et je la serrai dans mes bras...

Impossible de retrouver le sommeil après cela. Je m'enveloppai dans une couverture et m'assis au salon, dans le fauteuil à haut dossier, en regardant le trafic reprendre peu à peu sur le Grand Canal. À huit heures et demie, j'appelai la banque Comparini. Je prévins Vida que je ne me sentais pas bien et que je n'irais pas travailler ce jour-là. Puis je pris un bain dans la baignoire de marbre (assez grande pour accueillir une armée), je déjeunai et m'habillai. Je pliai les quatre millions de lires de Caterina au fond de la poche de mon jean. Puis j'embarquai aux Fondamente Nuove, sur le vaporetto 17 pour Murano.

Je flânai tout l'après-midi sur l'île, de boutique d'antiquaire en galerie verrière, jusqu'à ce que je trouve ce que je cherchais : un collier du XVIIIe siècle en perles de cristal couleur rubis, orné de petites fleurs de verre bleues et jaunes, conçu avec une extrême délicatesse. Je le découvris dans un de ces endroits où une caméra vidéo vous examine sous toutes les coutures avant que l'on se décide à vous ouvrir la porte. Le propriétaire, un petit homme aux yeux de chouette et au nez extrêmement poilu, en voulait six millions de lires. J'essayai de marchander, mais il n'en démordait pas.

— *Bellissimo*, répétait-il. Très vieux, *settecento*. Ça vaut plus de six millions... Huit millions. Dix.

Il insistait. Certes, le collier avait été remonté, mais c'était le fermoir d'origine. Je finis par céder. Il n'est plus aussi facile de marchander avec les Italiens. Six millions me semblaient un prix exorbitant, d'autant que je devais y mettre deux millions de ma poche. Mais quand je ressortis à la lumière du soleil, ce collier antique enveloppé dans du papier brun à l'intérieur de la petite boîte de velours vert que je tenais sous mon bras, j'étais satisfait. Comme si, pour une fois, j'avais accompli une bonne action. Quand je reverrais Caterina, quand je le lui offrirais, peut-être me ferait-elle confiance, peut-être me donnerait-elle quelques détails sur sa vie. Comment elle était, petite fille. Ce qu'elle faisait lorsqu'elle ne nourrissait pas les chats. Son adresse, son numéro de téléphone. Pourquoi elle restait sous la coupe de ce père qui me semblait, selon la description qu'elle m'en faisait, si jaloux et si vindicatif.

J'attendis le vaporetto, sur l'embarcadère, pendant vingt minutes. De l'autre côté du canal, les cyprès abandonnés de San Michele oscillaient doucement sous la brise invisible, comme des âmes à demi détachées essayant de s'échapper des mornes limites de l'endroit. La lumière automnale étendait sa main blanche sur les îles de la lagune.

18

Rinio avait proposé une discothèque à la mode, le Littorale, sur la Giudecca, non loin de l'appartement qu'il occupait avec sa femme, sa belle-mère et ses deux sœurs.

À l'embarcadère de San Zaccaria, je montai dans le vaporetto 5. Il était pris d'assaut par la foule du vendredi soir, composée de jeunes Italiens en veston sport de belle coupe et jeans moulants. Ils riaient et se bousculaient, s'apostrophant d'un bout à l'autre du navire avec des voix fortes. Leurs cheveux luisaient dans la lumière pâle. Au milieu du canal de la Giudecca, l'un d'eux offrit au receveur moustachu de l'ACTV une gorgée au goulot d'une bouteille de vodka hongroise. Il la passa au commandant de bord, à la barre, qui siffla le reste et lui rendit la bouteille vide. Quelques minutes plus tard, nous accostâmes au Redentore en percutant les piliers avec une violence anormale. Les jeunes gens huèrent le capitaine avec des gestes obscènes. Puis ils sautèrent sur l'embarcadère et descendirent la Fondamenta San Giacomo en chantant un hymne à la gloire de la Juventus qui avait battu, le jour même, l'AC de Milan.

Le Littorale se trouvait dans la chapelle d'un monastère de bénédictins du XVIe siècle, démoli depuis longtemps. Je retrouvai Rinio au bar, à l'emplacement de l'autel. Il buvait un de ses cocktails préférés, un americano : moitié gin anglais, moitié Cinzano, une pointe de bitter, servi on the rocks avec un zeste de citron. Une boule de verre projetait des feux multicolores sur la piste de danse installée dans la nef. Il était encore tôt. Seuls deux couples dansaient au rythme rétro d'un vieux morceau de Sly and the Family Stone.

— Pour le moment, c'est assommant, dit Rinio. Sortons.

Je le suivis par une nef latérale. Nous débouchâmes sur une cour où s'alignaient les anciens sépulcres des moines, transformés en tables recouvertes d'une plaque de verre. À l'intérieur de chaque table, gisait un mannequin de cire vêtu d'une robe de bure. Nous nous installâmes sur des tonneaux sciés à la moitié. Une serveuse en habit de cardinal — à ceci près que sa robe était coupée à sept ou huit centimètres au-dessus du genou — vint prendre la commande. Loin au-dessus de nous, les étoiles scintillaient dans le firmament sombre. Nous bûmes deux tournées de grappa, tandis que des jeunes femmes minces sortaient prendre l'air de la nuit et s'asseyaient autour des tables. Un peu plus tard, la cour bruissait du doux murmure des voix féminines. Après ma troisième grappa, je racontai à Rinio la performance de Caterina au Casino municipal.

— Je n'ai pas vu comment elle faisait. Elle a appelé la boule quatre fois de suite. C'est de la magie, Rinio. De la sorcellerie. Je ne sais qu'en penser.

Il se mit à rire.

— Pas besoin de sorcellerie au Casino municipal, Giacomo. L'endroit n'est pas très net. Un scandale politique a éclaté, il y a quelques années, lorsqu'on a découvert qu'un neveu du maire gagnait tout le temps au baccara. Des millions et des millions de lires. Ce garçon, vois-tu, n'était pas un joueur brillant. En fait, tout le monde savait qu'il était stupide. On a ouvert une enquête qui n'a mené nulle part. Mais on découvrira un jour ou l'autre que le maire a un bon gros compte bancaire en Suisse. C'est ça, la politique, en Italie !

Je me sentis bizarrement soulagé.

— Tu veux dire qu'il ne s'agit que de bonne vieille corruption ?

— Peut-être que son fameux paternel est au gouvernement. (Il haussa les épaules, puis se leva.) C'est l'heure de retourner à l'intérieur. Allons danser.

— Où est ta femme, ce soir ? lui demandai-je en souriant.

C'était devenu entre nous une sorte de plaisanterie.

— Ma femme, elle est enceinte. Elle ne danse pas.

Je ne dansais pas non plus, mais ce soir-là je le rejoignis sur la piste. Les haut-parleurs géants accrochés dans l'abside déversaient les rythmes monotones et interminables de la *house music*. Pour une raison ou une autre, les femmes étaient nettement plus nombreuses que les hommes. Nous dansâmes pendant deux heures à en perdre haleine, au milieu de cette foule féminine, avec de brèves interruptions pour nous désaltérer. La dépense physique stupide est parfaite, de temps en temps, pour le moral. La sueur, l'alcool et la danse aident à évacuer les toiles d'araignée qui se forment dans le cerveau.

À trois heures du matin, je me trouvais en compagnie d'une étudiante en architecture à la peau brune. Elle avait vingt et un ans, s'appelait Brenta Saluzzo et venait d'Urbino, une vieille ville plantée au sommet d'une colline, dans les Marches. Nous nous mêlâmes à la foule, sur le trottoir, en buvant une dernière bière. Son enthousiasme et sa naïveté me faisaient un peu penser à Cynthia. L'architecture devrait être intime, disait-elle, il faut la penser à l'échelle de l'homme.

— Le style international, les gratte-ciel, le Bauhaus, Le Corbusier, je déteste tout cela, dit-elle avec véhémence. Allez à Urbino. Vous verrez comme c'est beau. Au XIVe siècle, on l'appelait la cité idéale. Et aujourd'hui encore, c'est une ville conçue pour les gens, pas pour les voitures. Une ville ne devrait pas dépasser une taille qui permette de la traverser à pied en une heure.

J'acquiesçai de bon cœur.

Quelques minutes plus tard, deux de ses amies vinrent la récupérer.

— Nous nous reverrons, n'est-ce pas ? me dit-elle.

Elle m'embrassa sur la joue et inscrivit son numéro de téléphone sur une pochette d'allumettes qu'elle glissa dans ma poche.

Je retrouvai Rinio dissimulé dans l'ombre d'une porte cochère, de l'autre côté de la rue. Il embrassait goulûment une jeune beauté sénégalaise. En attendant qu'il conclue, je sortis la pochette d'allumettes. Je contemplai le numéro, en pensant au visage de jeune fille, sans secret, de Brenta Saluzzo. Je souris intérieurement. Un instant, je me dis que je pourrais l'appeler le lendemain, ou le surlendemain. Nous pourrions pique-niquer, sortir dans la lagune, peut-être déjeuner chez Cipriani. Puis, soudain, je laissai tomber les allumettes dans une flaque de bière dans le caniveau. C'était inutile. Caterina cultivait le goût du secret comme un pavot rare et grisant. Et ce goût créait une accoutumance, à l'instar de la mélancolie et de l'amour. Qu'était-elle vraiment ? Une mère de famille de Mestre dévorée par l'ennui, une secrétaire dans une compagnie d'assurances, voire une innocente étudiante en architecture ? Curieusement, le fait de ne rien savoir d'elle m'empêchait de l'oublier. Elle m'interdisait déjà de penser à quelqu'un d'autre.

Quelques minutes plus tard, Rinio et moi regagnâmes son appartement en titubant, bras dessus bras dessous. Il alluma la lumière dans la petite cuisine et me prépara un Brioschi dans un verre à vin. Sa femme, sa belle-mère et ses deux sœurs dormaient dans des chambres minuscules, quelque part au fond du couloir.

— C'est parfait pour la gueule de bois, dit-il en me tendant le Brioschi. Bois tant que ça pétille.

Je m'écroulai sur le divan un instant plus tard, sans

ôter mes chaussures ni mon veston. Un peu avant l'aube, il se mit à pleuvoir à verse. Dans mon rêve, j'entendis le bruit de la pluie. Je me demandai où allaient les chats quand il pleuvait, et je sentis que deux yeux jaunes aussi gros que Venise elle-même me regardaient fixement à travers la pluie battante, en clignant lentement.

19

La semaine suivante, un front de tempête exceptionnel pour la saison souffla des steppes russes via la Pologne et la Dalmatie, se renforça au-dessus du golfe de Trieste et balaya la Vénétie. Huit centimètres de neige tombèrent sur Padoue et Vicence. L'Adige gela à Vérone. À Venise, une pluie givrante torrentielle ajouta à l'eau noire du Grand Canal des gouttes gelées, de la taille de dents humaines. Pendant plusieurs jours, la ville fut saisie d'un froid à couper le souffle.

Le service d'étage du Palazzo Bragadino me fournit des couvertures supplémentaires, une réserve de bois de chauffage pour la cheminée pleine de courants d'air, et trois antiques radiateurs à serpentin d'acier qui vibraient sur le sol de marbre comme des marteaux-piqueurs. J'allumai le feu dans l'âtre, je fis ronfler les radiateurs, je dormis avec deux paires de chaussettes et un jean. Rien n'y fit. Le froid humide vénitien pénétrait partout. Il vivait au cœur même de la vieille pierre. Trois nuits de suite, à cause des intempéries, l'hôtel fut privé de courant. À mon réveil, je découvrais que l'eau avait gelé dans le verre posé sur la tablette à la tête de mon lit.

Je n'avais aucune nouvelle de Caterina. Peut-être le fil ténu qui nous rattachait était-il coupé, finalement. Je me disais que je ne la reverrais plus. À cette idée, j'étais tour à tour abattu et soulagé. Après tout, il était impossible d'entretenir une liaison durable avec une femme qui gardait tant de secrets. Sa vie m'était totalement cachée. Je ne savais rien d'elle. Pas un seul fait concret. Pourtant, je déballai la boîte de velours noir qui contenait le collier, et je la laissai ouverte sur mon bureau. Dans la pénombre grise de l'aurore, les perles de cristal rouges aux facettes innombrables et les fleurs de verre bleues et jaunes émettaient leur clarté mystérieuse et me faisaient penser à Caterina.

Une semaine passa. La température remonta. Ce fut ce qu'on appelle au Nebraska un temps pour le football : froid et dégagé, avec de rares nuages élevés, mais pas assez froid pour que le nez vous gèle au milieu de la figure. Un matin, alors que je traversais le hall de l'hôtel en partant pour le bureau, un réceptionniste me tendit une feuille d'un épais papier blanc, pliée en trois. Elle était scellée par un curieux médaillon de cire rouge représentant une tête de taureau et deux étoiles sur un écu de croisé.

— Une dame a laissé cela pour vous, *signore*. Très tard la nuit dernière.

Je lui donnai un pourboire exagéré et glissai la lettre dans la poche de mon manteau. Nul besoin de briser le sceau pour savoir d'où elle venait.

Sur le campo Santi Apostoli, à minuit, il faisait noir comme au plus profond d'une tombe. Les lampes brisées pendaient au bout de leur fil. Dans le canal tout proche, une gondole délabrée se balançait sur son amarre gelée. La statue de bronze verdissante d'un homme portant un lourd manteau planait au-dessus de la place, du haut de son fronton de pierre sale. Son manteau de bronze formait des plis de bronze théâtraux, et il serrait sous son bras un paquet de feuilles de papier en bronze. L'obscurité était telle que je discernais à peine la forme du domino de Caterina. Mon souffle dessinait un ballon de vapeur, tel un phylactère de personnage de bande dessinée.

— Tu as reçu mon message. Je n'étais pas sûre que tu viendrais.

— Je suis venu.

— Je voulais... je voulais m'excuser pour avoir jeté ta petite machine...

— Ne t'inquiète pas pour ça. Tu avais raison, de toute façon. Je pense trop à l'argent. Mais je suis courtier en Bourse, merde ! Je ne peux faire autrement. C'est ma seule excuse.

— Ah !

Elle fit quelques pas dans ma direction. Ce soir-là, elle portait un épais rouge à lèvres noir et du fond de teint, et ses cheveux étaient ramenés en une drôle de natte qui trônait au sommet de sa tête comme un petit chapeau. Elle posa brièvement sa main blanche contre ma poitrine, puis la retira.

— Je n'ai pas beaucoup de temps, dit-elle. Je voulais simplement te dire que j'étais désolée... et que je veux te revoir.

— Tu me vois, maintenant. Mais il fait froid, ici. Pourquoi n'irions-nous pas à mon hôtel ?

Elle secoua la tête.

— Je dois te laisser dans quelques instants. Je dois sortir avec des amis de mon père.

— Caterina, quand pourrai-je venir chez toi, quand pourrai-je le rencontrer ?

Elle détourna les yeux.

— Mon père dit que je ne dois plus te voir. Il a raison, je ne devrais plus te voir. Mais je suis faible, et la vie que je mène est si triste...

— Tu es adulte, Caterina. Une femme responsable. Tu n'as pas à tenir compte de ce que ton père veut ou ne veut pas. Et si tu déménageais ? Je peux te loger à mon hôtel. Dans une chambre à part, si tu trouves qu'habiter avec moi est une idée déplacée. Qu'en dis-tu ?

— Mon pauvre ami ! C'est impossible. Absolument impossible.

— Pourquoi ?

Elle ne répondit pas. Nous restions là, debout, face à face dans l'obscurité. Une impasse.

— J'ai quelque chose pour toi, dis-je enfin. Quelque chose de particulier. Allons quelque part, à l'abri de ce froid, juste pour une ou deux minutes.

— Je ne peux pas. Tu dois me le donner maintenant.

Avec un soupir, je sortis le collier de sa boîte de velours noir et le lui mis dans la main.

— Je l'ai acheté avec tes gains de l'autre soir. Plus une petite contribution personnelle.

Elle leva le collier à la faible lueur de la lune.

— Oui, murmura-t-elle. *Bellissimo*.

— C'est une antiquité. Le type qui me l'a vendu parlait du XVIIIe siècle. Il a sans doute plus de deux cents ans.

— Tu trouves ça vieux? (Elle se mit à rire puis me tourna le dos.) S'il te plaît, attache-le autour de mon cou.

Je m'exécutai, et nous restâmes là un moment, penchés l'un vers l'autre. Je touchai ses seins sous le domino.

— Bien entendu, chuchotai-je, aucun présent n'est jamais vraiment gratuit. Je veux quelque chose en échange de ce collier.

J'aurais juré qu'elle souriait dans le noir.

— Tu l'auras. Je viendrai à ton hôtel à minuit, après-demain, et nous ferons l'amour comme avant.

— Ce n'est pas tout. Je veux savoir quelque chose à ton sujet. Quelque chose de vrai.

Elle se raidit et prit ma main droite, toujours posée sur son sein, pour la lever vers la base de la statue.

— Viens, suis mon mouvement.

Je me détendis. Elle tint mes doigts fermement et les fit courir le long des lettres gravées sur le fronton de la statue.

— Faisons comme si tu étais aveugle. Peux-tu lire ceci?

Dans un mouvement de va-et-vient, mes doigts longèrent les rainures des lettres. Je reconnus un P, puis un A, suivi d'un O... L... O, puis un espace, et S... A... R... P... I.

— Tu peux lire?

— C'est un nom, dis-je. Paolo Sarpi. J'imagine que c'est le type qui se trouve là-haut.

Je fis un geste vers la silhouette de bronze qui nous surplombait.

Elle me lâcha la main.

— Sarpi est le saint patron des Barnabotti. Les autres Vénitiens ont saint Marc. Nous, nous avons Sarpi. Je t'ai déjà parlé de lui?

— Je crois, oui, peut-être.

— Sarpi a écrit beaucoup de livres sur Venise. Mais dans l'un d'eux, il dit que chaque père d'une famille vénitienne, lorsqu'il enseigne à ses enfants l'existence de Dieu, doit aussi leur enseigner l'usage du secret.

— Ce qui signifie?

Elle s'appuya contre moi et je sentis la pression glacée de ses lèvres sur les miennes. Puis, comme une flèche, elle s'enfonça dans la nuit. Elle était partie.

Je restai au pied de la statue de Sarpi, les mains dans les poches de mon manteau. Je me sentais stupide. Le secret. À quel jeu jouait-elle? Un instant, j'envisageai de la suivre. Mais elle connaissait ces rues sombres aussi bien qu'un chat. Il ne me faudrait pas cinq minutes pour me perdre complètement. Alors je descendis la Strada Nova jusqu'au Mocenigo — un petit bar à vin bon marché que Rinio m'avait fait découvrir. Cette nuit-là, il était plein de capitaines et d'hommes d'équipage des chalands éboueurs, qui buvaient un verre avant de prendre leur service de trois heures.

J'aimais la rude atmosphère de l'endroit, les hommes dans leurs gros pull-overs, l'odeur des cigarettes. Je restai au comptoir jusqu'à la fermeture, buvant des verres de vin blanc crayeux, avalant les oignons au vinaigre et les anchois gratuits comme un véritable autochtone. Voilà exactement ce dont j'ai besoin en ce moment, me disais-je. La vie, aussi réelle et prosaïque qu'un chaland éboueur. Mais peu à peu une série d'images commença à me traverser l'esprit. C'était une conséquence de l'insomnie continuelle — la privation de rêve entraîne une légère synesthésie et vous fait voir certaines images chaque fois que vous ralentissez ou que vous fermez les yeux, souvent en rapport avec certains goûts ou certaines odeurs.

L'odeur jaune et sèche du vin produisit des images en succession rapide. Je vis sautiller des têtes de marionnettes de cire qui dansaient sur des fils dans une pièce sombre. Des rangées de vieux volumes de cuir tombant en poussière sur l'étagère d'une bibliothèque oubliée. Des champs de pavots dont les fleurs se referment à minuit. Des os humains pourrissants, en monceaux verdâtres infestés d'anguilles, dans les ténèbres du fond de la mer.

20

Le temps s'adoucit. Le rythme des journées semblait ralentir au point de s'immobiliser. La lire remonta par rapport au dollar, puis baissa par rapport à la livre sterling. Le yen chuta de quelques points par rapport aux autres devises quand on apprit que le Japon avait cédé aux pressions et accepté d'ouvrir largement son marché aux produits manufacturés américains. Une pluie froide tombait tous les jours, toujours très abondante le matin et au crépuscule. C'était l'époque de l'*acqua alta*, la grande marée qui menace chaque hiver de submerger la cité. Les campos les plus bas étaient inondés. D'étroites passerelles de planches et de parpaings firent leur apparition sur la place Saint-Marc et ailleurs. Les cuissardes de caoutchouc aux semelles épaisses et les cirés jaunes devinrent la tenue obligée des Vénitiens élégants. Selon un important sondage, le parti de l'Olivier de Prodi avait gagné quelques points aux dépens de Berlusconi et son Alleanza Nazionale. Un autre sondage prétendait qu'il avait *perdu* quelques points. Froide, maussade, abandonnée finalement par les touristes, Venise continuait de s'enfoncer dans la vase de la lagune. Dans quelques années ou dans quelques siècles (les avis divergeaient), tôt ou tard, les fenêtres gothiques tant admirées de la Ca' d'Oro seraient des lieux de passage pour les poissons.

Je décidai de consacrer l'essentiel de mon rapport de novembre aux querelles continuelles sur la meilleure façon de sauver la cité du naufrage. Un groupe d'ingénieurs proposait de construire des digues de béton géantes au-delà du Lido, puis de pomper l'eau de la lagune pour la déverser dans l'Adriatique. Un autre groupe voulait placer des caissons gonflables à Porto del Lido et Porto di Malamocco. On les remplirait d'air pendant l'*acqua alta*, ils remonteraient alors à la surface et formeraient une digue instantanée. Un troisième groupe, parrainé par Disney Corporation, suggérait de soulever la ville tout entière grâce à un système complexe de vérins hydrauliques.

Les spécialistes de l'environnement considéraient ce dernier projet comme le plus avantageux pour l'écosystème de la lagune, et Disney avait déjà offert les services d'une équipe d'ingénieurs américains à titre gracieux. Mais tous les vrais Vénitiens étaient aussi terrifiés par Disney que par les nazis un demi-siècle plus tôt. On soupçonnait Mickey le Rat de dissimuler les plus noirs desseins derrière son apparente philanthropie. Les tenants de la théorie du complot (dont Rinio faisait partie) étaient persuadés que le géant américain de l'industrie du loisir voulait transformer la ville en un parc d'attractions stérile. Ses habitants seraient contraints de porter des « costumes d'époque », le moindre campo serait éclairé par des panneaux publicitaires Coca-Cola, le Grand Canal serait plein de gondoles télécommandées et de robots de gondoliers chantants, l'ensemble rappelant quelque chose comme le site des Pirates des Caraïbes à Disneyworld.

Une vision paranoïaque, certainement, mais tout de même fondée sur une vague possibilité et quelques faits troublants. Plus de quatre-vingt-cinq pour cent des habitants de la ville vivaient d'ores et déjà du tourisme. Par ailleurs, Disney était en train de négocier l'achat du Danieli et du Gritti, deux des hôtels les plus vénérables de la cité. Il n'était pas difficile d'imaginer les prochaines étapes du scénario : Disney prête à Venise les millions dont elle a besoin pour réaliser le projet des vérins hydrauliques ; la ville est sauvée mais manque à ses engagements, à cause de la corruption inhérente à la gestion à l'italienne ; Disney fait saisir son dû ; le Rat Diabolique devient le nouveau doge de Venise.

Chacun des projets pour sauver la ville avait ses partisans et ses détracteurs. Le *Gazzettino* publiait chaque matin une bonne douzaine de lettres pour ou contre, les querelles allaient bon train, et la ville continuait de sombrer.

Je me laissai emporter par l'enthousiasme. Mon rapport comportait vingt-sept pages de texte en simple interligne, plus cinq pages de croquis complexes. J'y avais rassemblé toutes les informations disponibles, j'avais examiné les arguments et contre-arguments, je m'étais même risqué à avancer une ou deux opinions personnelles. Je m'intéressais de très près, désormais, à la survie de Venise. C'était peut-être à cause de Caterina ou de Rinio, ou parce que la vue du Grand Canal au crépuscule, devant la fenêtre de ma suite, avait fait son chemin dans mon esprit. Quand je donnai l'ordre à mon PC d'expédier mon rapport de l'autre côté de la planète via le cyber-espace, je fus envahi à nouveau par cette sensation d'être utile qui s'empare de moi quand je fais ce pour quoi on me paie. Ils seront contents, pensai-je. C'est du bon boulot.

Pour toute réponse, je reçus de Warren un e-mail de quelques lignes.

Jack, je me contrefous de savoir si Venise a le cul dans l'eau et si elle doit disparaître demain matin. Et Capital Guaranty s'en contrefout autant que moi. Ton rapport est aussi dénué d'intérêt que celui du mois dernier. Le mois prochain, tu ferais mieux d'avoir quelque chose à sortir de ton chapeau. W.

112

En proie à une rage folle, je rédigeai une réponse de dix feuillets. C'était une suite d'arguments enflammés rappelant pourquoi le sort de Venise était si important pour l'économie nationale italienne et, par conséquent (l'Italie étant le cinquième marché du monde), pour le système monétaire international. Puis je le relus et je jetai le tout dans la broyeuse. Pendant les jours qui suivirent, je fus envahi par une curieuse sensation de vide mental qui ressemblait à de la dépression. Mais ce n'était pas de la dépression. C'était la conscience que ma carrière allait à vau-l'eau et que cela ne me préoccupait pas outre mesure.

21

Des péniches chargées d'aliments divers remontaient le Grand Canal en haletant. Je sentais les poireaux et les oranges, l'odeur grasse des pommes de terre fraîchement extraites de la terre riche du continent. Nous étions allongés côte à côte sous les draps, dans ma chambre. Nous reprenions notre souffle après l'amour. Caterina bâilla et se gratta une aisselle parfaitement lisse. Je me retournai pour baiser le scarabée sombre de son mamelon, posai le menton au creux de ma main et la contemplai.

— Ta famille... Pourquoi refuses-tu de m'en parler?

Elle soupira. J'avais déjà essayé cela.

— Tu es trop curieux. Nous avons un proverbe qui dit : *Tanta va la gatta al lardo che ci lascia lo zampino.*

— Nous avons le même en anglais. Mais il ne vaut que pour les chats. Où habite ta famille? À Venise? Dans quel quartier?

Elle se tourna, visage vers le mur.

— Ma famille... Ils sont morts, dit-elle sans s'adresser à quelqu'un en particulier.

— Et ton père?

— Mon père, il ne meurt pas. Ma mère et mes sœurs, mon frère sont tous morts.

— C'est épouvantable! m'exclamai-je en m'asseyant sur le lit. Qu'est-il arrivé? C'était un accident?

Caterina changea encore de position. Elle me regarda en plissant ses yeux noirs.

— *La peste*, dit-elle d'un ton uni.

— Quoi?

— La peste. Ils sont tous morts de la peste. Les cadavres s'entassaient dans les gondoles. Des hommes sont venus à la maison, ils portaient des cagoules sur la tête. Ils ont pris ma mère et mes sœurs. Mon frère, je pense qu'il vivait encore, mais ils l'ont pris, lui aussi. Je n'ai rien pu faire.

Pendant un instant effroyable, je crus qu'elle parlait sérieusement. Puis je vis l'étrange petit sourire se dessiner au coin de ses lèvres.

— Ce n'est pas drôle, Caterina! C'est même plutôt morbide. Je veux que tu répondes au moins à une question, franchement.

Elle soupira de nouveau et se retourna sur le dos.

— Est-ce que tu vis à Venise? Dis-moi au moins cela.

Un autre soupir.

— Il est normal que je veuille en savoir un peu plus sur la femme qui couche avec moi, insistai-je. Allons! Tu dois me dire quelque chose.

— Très bien. Je vais te dire une chose... (Elle marqua une pause avant de reprendre, comme si elle essayait de mettre de l'ordre dans ses idées :) Je n'habite pas à Venise. J'habite dans la lagune.

— C'est-à-dire?

Elle me jeta un regard sans expression.

— Où cela? Burano? Mazzorbo? Chioggia?

Pendant un instant, elle eut l'air offensée. Puis elle eut un geste dédaigneux de la main.

— Tous ces endroits sont pour les paysans et les pêcheurs. Nous sommes des Barnabotti. Nous ne vivons pas avec les paysans et les pêcheurs. Nous ne pêchons pas, nous ne cultivons pas de choux. Nous ne travaillons pas dans le commerce ni dans les banques.

J'ignorai l'allusion.

— Qui cela, nous?

Elle hésita.

— Mon père et moi.

C'était ce que j'attendais.

— Alors, à quoi ressemble-t-il, ton père ? Il ne peut pas être aussi mauvais que tu veux me le faire croire.

— Non, tu as mal compris, dit-elle d'une voix tendue, et il me sembla qu'un frisson parcourait sa peau satinée. Non, il n'est pas mauvais. Tu vois, il est beaucoup trop bon. Il m'aime tellement... C'est terrible d'être aimée à ce point.

— Que veux-tu dire ? demandai-je en déglutissant avec peine. Il ne t'a pas...

Je ne pouvais aller au bout de ma pensée.

Caterina riait presque.

— Ce n'est rien de physique, mon ami. Il ne me touche pas, il n'essaie pas de me faire l'amour, non. Rien de ce que tu penses. C'est bien pire. Il me pardonne tout ce que je fais.

Deux vers de Philip Larkin me revinrent en mémoire : *Ils te foutent en l'air, tes papa et maman/Ce n'est pas ce qu'ils cherchent, et pourtant...* Peut-être Larkin avait-il raison.

— Ainsi, il n'est ni banquier ni pêcheur, dis-je enfin. Il est fonctionnaire ? Sénateur ?

Caterina secoua la tête.

— Lorsque tu sauras ce qu'il y a à savoir à mon sujet, c'est que nous ne nous verrons plus jamais. Ne pas savoir, c'est mieux. Seuls, ici, nous pouvons être qui nous voulons. Même deux amants, avec le monde à nos pieds.

Quelque chose dans sa voix me fit renoncer à mes questions. La fausse aurore éclairait le ciel. Bientôt, Caterina m'abandonnerait et sortirait dans les rues étroites de Venise pour nourrir les chats. Nous refîmes l'amour. Puis je la regardai se rhabiller. Sa peau rayonnait dans la lumière douce du petit matin. Alors qu'elle attachait son domino autour de ses épaules, nous entendîmes le long gémissement d'un moteur Diesel, au-delà du coude du ponte dell'Accademia. Une seconde plus tard, une odeur infecte monta du canal et pénétra dans la chambre par la fenêtre entrouverte. Caterina suffoqua et mit la main sur son nez.

— Je connais cette puanteur! s'écria-t-elle. C'est terrible. Ils emportent les morts.

Je m'enveloppai dans un drap pour m'approcher de la fenêtre. Caterina, derrière moi, posa une main glacée sur mon épaule nue. Nous vîmes passer un chaland éboueur tout rouillé. Des dizaines de cadavres de chats s'entassaient sur son pont principal. Je vis une paroi sinistre couverte de carcasses en décomposition, le reflet des os, le léger scintillement des yeux de chats morts fixés sur le néant.

— C'est horrible.

— Je ne peux pas les sauver tous, murmura Caterina, et une larme brilla sur sa joue.

Nous regardâmes s'éloigner ce vaisseau galeux dans son nuage de fumée noire. Il remonta le canal en brassant l'eau, en direction de la Misericordia. Catarina me dit qu'il n'y avait même pas assez de terre à Venise pour recouvrir ces misérables ossements. On transportait les chats à travers la cité encore plongée dans l'obscurité, jusqu'à un lieu lointain et désolé, connu seulement des capitaines de chalands et des charognards, dans les zones les plus reculées de la lagune.

22

La soutane du père Strufoli était usée jusqu'à la corde, ses épaules étaient couvertes de pellicules, et ses rides profondes témoignaient de soixante années passées à écouter les récits des péchés, véniels et mortels, des hommes et des femmes. Il leva son verre de sherry d'une main tremblante.

— *Alla bambina*, souffla-t-il d'une voix aussi rugueuse que du papier de verre. *Saluti e cent'anni !*

— *Saluti e cent'anni !* répétèrent les soixante-quinze invités.

Le toast fut suivi d'un instant de silence tendu. Pendant une ou deux secondes, il sembla que le verre de la taille d'un dé à coudre n'atteindrait jamais la bouche du vieux prêtre. Quand il trempa enfin ses lèvres dans le liquide ambré, on entendit un soupir de soulagement général.

Le père Strufoli était malade. Il souffrait de la maladie de Parkinson, m'avait dit Rinio. Mais il était sorti de sa retraite pour l'occasion. La fille de Rinio (Filomina Josefina Maria Donato, née le 23 octobre à 19 h 17 chez les sœurs-infirmières de l'hôpital de la Sainte-Croix) venait de recevoir le baptême dans la pénombre exhalant le moisi et l'encens de l'église du Redentore, sur la Giudecca. Trois kilos deux cent cinquante, le teint légèrement jaune, mais à tous points de vue un bébé en parfaite santé et faisant honneur à l'espèce humaine.

Je me tenais contre le mur, à côté du buffet couvert de plateaux chargés d'antipasti. J'étais fatigué, je me sentais déplacé. La traditionnelle réception de baptême à l'italienne se tenait dans le grand appartement antique d'une tante fortunée de Rinio. Il y avait deux salons (tapissés respectivement de soie verte et bleue), une salle de musique, une serre aux parois vitrées pleine de plantes vertes géantes, et une terrasse étroite surplombant le trafic fluvial devant la Fondamenta Sant'Eufemia.

Les invités tournoyaient autour de moi. Tout le monde mangeait et parlait la bouche pleine. Je reconnus quelques visages de la banque, mais je me contentai de distribuer des signes de tête et des sourires, car personne ne parlait anglais. J'observai Rinio qui se déplaçait dans la foule, serrait des mains, prodiguait des baisers et entreprenait les femmes les plus séduisantes. Il portait un somptueux costume bleu marine et une chemise de soie bleu pastel mise en valeur par un gilet jaune vif et une cravate de cachemire rouge et jaune. L'ensemble était tout bonnement stupéfiant. Les cheveux lissés en arrière, un œillet jaune au revers, il avait l'air d'une vedette de l'écran — c'était d'ailleurs l'effet recherché. J'essayai en vain de discerner le moindre changement dans son attitude, qui aurait révélé qu'il prenait conscience de ses nouvelles responsabilités. Mais il semblait à peine s'intéresser au nourrisson. Emmaillotée dans sa robe de baptême en dentelle de Burano, la petite fille dormait à poings fermés à côté de sa mère, sur un canapé, au fond de la pièce.

Rinio finit par venir vers le buffet, où il se servit une assiette pleine. L'assortiment de nourriture était impressionnant : anchois marinés à l'ail ; langoustines de la lagune sur lit de risotto ; huîtres ; assortiment de saucissons ; tranches de jambon ultra-fines ; salade géante à base de *carciofo* et de *finocchio*[1], avec des olives et du fromage de chèvre ; monceaux de laitance de hareng opaque ; six variétés de fromage ; betteraves au vinaigre ; œufs à la diable et crevettes *alla Veneziana*. Et il ne s'agissait que des entrées. Tandis que nous dévorions nos antipasti dans le salon, on mettait la dernière main aux tables du banquet installées dans la serre. Les odeurs de viande à rôtir et de sauces en train de mijoter nous parvenaient par le couloir menant à la cuisine.

— C'est épuisant d'être papa, dit Rinio en s'essuyant le front avec un mouchoir jaune.

— Quelle assemblée, Rinio ! La moitié de la banque est ici, y compris son altesse Carlo Orti.

— *Si.* (Il sourit.) C'est comme ça qu'on progresse, à la banque Comparini. On donne des réceptions et on invite tout le monde, du patron aux secrétaires.

Au même instant, de l'autre côté de la salle, le bébé se mit à brailler. La femme de Rinio déboutonna son corsage, sortit un sein et lui donna la tétée. Rinio prit un air dégoûté.

— Une vraie paysanne, dit-il avec un geste du pouce par-dessus son épaule. Elle aurait pu attendre un peu.

— Quand un bébé a faim, il faut le nourrir.

— Un bébé a tout le temps faim. Il passe ses journées à sucer les seins de ma femme, ajouta-t-il en enfournant un cœur d'artichaut entier.

— Dis-moi une chose, Rinio. (Je me penchai vers lui.) Est-ce que tes activités extraconjugales vont cesser, maintenant que tu es père de famille ?

Il fit passer la fin de son artichaut avec une gorgée de vin.

— *Cosa vuol dire*, estraconiougales ?

— Les autres femmes. Les maîtresses. Maintenant que ta femme...

Je m'interrompis soudain, car le père Strufoli venait

1. Artichaut et fenouil. (*N.d.T.*)

de surgir de la foule. On voyait sur ses yeux ce léger éclat laiteux qui révèle un début de cataracte. Il avait l'air un peu perdu. Rinio posa son assiette et aida le vieux prêtre à se servir des antipasti. Le père Strufoli avait été le chapelain privé de la famille Donato depuis l'époque de Mussolini. Le bruit courait qu'il était tombé amoureux de la grand-mère de Rinio. Il n'était qu'un jeune novice énergique, à l'époque, et elle était une vigoureuse fille de treize ans tout de blanc vêtue : elle se préparait à recevoir le corps du Christ, en compagnie d'autres filles qui avaient l'âge de la première communion.

— Tu me parlais des femmes, dit Rinio après l'avoir servi. Tu te rappelles cette Sénégalaise ? Avec les gros seins ?

— Oui, eh bien ?

Le prêtre mastiquait sa nourriture sans comprendre un seul mot de notre conversation.

Rinio tapota sa poche de poitrine.

— J'ai son numéro de téléphone, ici même. Il n'est pas impossible que je l'appelle ce soir.

— Tu es un vrai salaud, Rinio.

Il me fit un clin d'œil et s'enfonça dans la foule.

Une heure plus tard, on servit le dîner dans la serre. On avait écarté les plantes vertes et dressé trois longues tables avec des nappes de lin, des verres de cristal, de l'argenterie et de la vaisselle en magnifique porcelaine anglaise.

On m'avait placé entre les deux sœurs de Rinio, Tullia et Vanozza. Elles avaient les mêmes traits caractéristiques que leur frère — yeux enfoncés, mâchoire carrée, nez aquilin —, combinaison qui leur conférait une laideur tout à fait regrettable. Tullia ne parlait pas anglais. Vanozza, en revanche, avait travaillé pour la banque Comparini à New York, et son anglais était presque aussi bon que celui de Rinio. On nous apporta les pâtes dans de grands plats fumants.

C'étaient des gnocchi au basilic avec sauce tomate et crème légère, servis avec un excellent chianti et des tranches de fouace chaude.

— Vous avez une amie en Amérique ? me demanda Vanozza en se penchant vers moi, une lueur coquine dans le regard.

Elle ne semblait pas s'intéresser à sa nourriture, qui restait intacte dans son assiette. Sa question me prit de court. J'avais la bouche pleine de ces délicieux gnocchi. Elle attendit patiemment que je les avale.

— Plus maintenant, dis-je enfin.

— Et que pensez-vous des Vénitiennes ?

— Oh ! Elles sont très belles.

— Et à Venise, maintenant, vous avez une amie ?

Elle essayait d'avoir l'air détaché, mais son visage se contracta légèrement. J'hésitai, le regard fixé sur le fond de mon verre.

— En quelque sorte, dis-je.

— C'est dommage.

Elle fit une moue moqueuse, puis tendit le bras et me versa un verre de vin.

— Hé, Giacomo, méfie-toi de ma sœur ! me cria Rinio de la table voisine, où il se trouvait avec sa femme.

Plusieurs personnes se mirent à rire. Vanozza rougit, l'air malheureuse.

— Mon frère ne me respecte pas, remarqua-t-elle d'une voix triste.

— Il plaisante. Ne prenez pas cela au sérieux.

— Non, il ne me respecte pas. Autrefois, j'ai été amoureuse d'un homme. Il était boulanger, ici, sur la Giudecca. J'étais très jeune. Il était marié, mais il n'était pas heureux avec sa femme. Nous nous sommes aimés en secret, jusqu'au jour où mon père a tout découvert. Le scandale a été terrible. En Italie, vous comprenez, les hommes font ce qu'ils veulent. Plus ils possèdent de femmes, plus ils sont grands... Mais si une femme le fait... personne n'oublie jamais.

Je la plaignais. Il ne devait pas être facile d'être la

sœur d'un homme comme Rinio. Une confidence en entraînant une autre, je lui parlai un peu de Caterina.

— Je ne sais rien d'elle, dis-je. Je ne connais que son nom. Je sais seulement que son père n'aime pas les Américains et qu'elle est de la famille des Barnabotti, quel que soit le sens du mot.

— Barnabotti? (Vanozza leva un sourcil interrogateur.) Non, vous avez mal compris. C'est impossible.

— Pourquoi donc?

— Les Barnabotti, il n'y en a plus. Il y a très longtemps, à l'époque de la Serenissima... Vous connaissez la Serenissima?

— Oui. L'ancienne République de Venise.

— Les Barnabotti étaient très haut placés dans l'échelle sociale, leurs noms étaient inscrits dans le *Libro d'Oro*. C'était un livre d'or où tous les noms...

— Oui, je sais.

— Ah? Mais votre amie, sûrement, vous a déjà raconté tout cela.

— Non, pas sur les Barnabotti.

— Ils descendaient de familles très anciennes et très nobles, mais très pauvres. Ils ont été contraints de vivre dans le quartier pauvre de San Barnaba. C'est pour cela qu'on les appelait les Barnabotti. La loi leur interdisait de faire du commerce. Ils n'avaient pas le droit d'acheter ou de vendre, ils ne pouvaient pas pêcher — c'était indigne de leur condition — et, bien sûr, l'activité bancaire était réservée aux Juifs. Ils n'avaient le droit de faire qu'une seule chose : servir la République. Le doge envoyait les meilleurs d'entre eux en Crète, à Corfou ou en Dalmatie pour administrer les colonies de Venise... Car Venise, à l'époque, était un grand empire. Les hommes qui ne partaient pas devenaient mendiants ou voleurs pour assurer leur subsistance. Les femmes devenaient des prostituées de bas étage, ou les maîtresses d'hommes puissants. C'étaient des gens très fiers, des descendants des meilleures familles. C'est très triste.

Je soulevai mon verre, puis le reposai. Une lumière

jaune tombait obliquement des baies vitrées de la serre sur les feuilles épaisses des plantes vertes dans leurs pots de terre cuite. Je réfléchis un instant, puis :

— Au fond, si je comprends bien, les Barnabotti sont un groupe d'aristocrates pauvres ?

Vanozza secoua la tête.

— Il n'y a plus de Barnabotti à Venise depuis des années. Quand Napoléon est arrivé, en 1796, c'était la fin de la Serenissima. Et ce fut la fin des Barnabotti... (Elle claqua des doigts.) Comme ça !

— Mais Caterina et ses amis prétendent être des Barnabotti.

— C'est une manière de plaisanter, bien sûr.

— Oui, bien sûr.

On débarrassa les plats de pâtes, pour les remplacer par des plateaux de *rollini di vitelli* — des côtelettes de veau roulées dans des tranches de jambon et de gorgonzola, et cuites au four dans une marinade d'huile d'olive, d'ail, de jus de citron et de vin blanc. Le plat s'accompagnait d'une salade de scarole aux noix et poires, et de bouteilles d'un vin blanc doux de Vénétie. Les Italiens mangent lentement. Leurs repas durent longtemps, ce sont des cérémonies interminables, moitié nourriture et vin, moitié vent (par allusion aux conversations animées sur tout et rien). Au crépuscule, on apporta le plat principal : un cochon de lait avec des gousses d'ail et des figues. Je n'avais jamais vu ce plat ailleurs qu'au cinéma. L'animal avait bel et bien une pomme dans la gueule. J'avais l'impression d'être invité à une orgie chez les Borgia.

À la fin de la troisième carafe de vin, Vanozza était un peu ivre, et elle gardait une main posée sur mon genou. Cela ne me dérangeait pas outre mesure, et je la laissais faire tant qu'elle en avait envie. Après avoir enlevé les restes du cochon de lait, on apporta l'expresso et les desserts, le fromage et les fruits, puis les digestifs. Repu de toute cette excellente nourriture, grisé de ces bons vins, j'oubliai tout ce qui concernait les Barnabotti et leur curieuse histoire.

23

La foule rassemblée sur les Fondamente Nuove, à minuit moins dix, se composait surtout de vieillards au dos voûté et vêtus de noir. Mais j'aperçus aussi un groupe de jeunes religieuses brésiliennes et quelques parents accompagnés d'enfants. Il y avait aussi des photographes du *Gazzettino,* et une équipe de RAI Uno en train de mettre en place ses caméras et ses éclairages. Je trouvai un endroit reculé, sous une porte cochère, avec une belle vue sur la scène. Le mur blanc, à ma droite, était couvert d'affiches du parti de l'Olivier et d'un graffiti obscène en lettres d'un mètre cinquante : *Evviva il Topo!* Ce qui veut dire littéralement *Vive la souris!* mais se réfère à une partie de l'anatomie féminine que l'anglais et le français préfèrent désigner comme une *chatte.*

Deux carabiniers se tenaient sur la rampe devant le pont de bateaux qui menait à l'île funéraire. L'un d'eux surveillait sa montre. Personne ne pouvait traverser avant que les douze coups de minuit annoncent le début de la Fête des Morts. Je me rappelais la recommandation traditionnelle, apprise à Saint-Albert durant les cours obligatoires de latin : *Commemoratio omnium fidelium defunctorum.* C'est le jour où les catholiques doivent se rendre au cimetière de leur choix et prier pour les morts — non seulement leurs propres morts, mais aussi les morts innombrables des siècles passés, tous ceux qui souffrent d'horribles tourments au purgatoire.

Sur l'eau noire, le pont de bateaux obéissait à un roulis inconfortable. La marée montait. La nuit vibrait du clapotis des vagues contre cent coques passées au coaltar et du craquement des rampes de bois sur le métal tandis que les bateaux s'élevaient avec le flot. À l'autre extrémité du pont, San Michele se dessinait contre le ciel noir comme le royaume d'Émeraude, un halo de lumière verdâtre flottant au-dessus de ses remparts menaçants. Le porche d'eau principal était flanqué de deux rangées de torches d'aluminium, dont les flammes bleues s'élevaient dans la pénombre. Le vent nous apportait la légère odeur d'ozone du méthane. Lorsque la *marangona* fit entendre les premiers coups de minuit, on entendit un soupir général, et la foule se pressa en avant. Mais le carabinier ne libéra pas le chemin.

— *Non è mezzanotte ancora*, dit-il, les yeux fixés sur sa montre.

— *Ma la marangona ha sonato !* s'exclama quelqu'un, et il y eut des cris d'indignation...

Comment la *marangona* aurait-elle pu être en avance ? Elle donnait l'heure depuis plus de cinq cents ans !

— *Secondo il mio orologio, la marangona è sei minuti avanti !*

Le carabinier ne céda pas. Il les fit attendre encore cinq minutes avant de les laisser passer. Je patientai une demi-heure sous ma porte cochère, puis je vis Caterina descendre le quai, venant de la Misericordia. Je m'avançai sous la lumière du réverbère et lui fis signe. Elle courut vers moi et m'embrassa sur les deux joues, à la manière italienne.

— *Scusi !* Je suis en retard. Mais j'ai préparé quelque chose pour la fête.

Elle leva un panier noir attaché par un ruban noir.

— Qu'est-ce que c'est ?

Caterina sourit.

— Un gâteau. Au chocolat amer.

Elle me prit le bras, et nous montâmes la rampe. Nous dépassâmes les carabiniers et nous engageâmes sur la passerelle qui reliait les bateaux. Une brise humide soufflait de la lagune. Je vis des feuilles de laitue et d'autres déchets joncher le fond des cales des péniches. À mi-chemin du passage, Caterina s'arrêta, me confia son gâteau et ôta son domino. Elle portait une robe décolletée de velours noir, avec une traîne. Le collier que je lui avais offert étincelait de rouge, de bleu et de jaune, en un contraste saisissant avec son rouge à lèvres sombre et son fard à paupières épais et noir.

— Tu vois, je porte ton collier, me dit-elle.

— Tu es en beauté.

La plus grande partie de la foule avait déjà traversé la lagune en direction de l'île. Nous suivions à quelque distance un jeune couple qui marchait lentement, les épaules voûtées, sans se toucher. Je n'en étais pas sûr, mais il me sembla entendre les sanglots de la jeune femme portés par le vent.

— Ces gens, me dit Caterina à l'oreille, ont perdu un enfant il y a juste un an. Ils sont très tristes. L'enfant s'est noyé dans son bain pendant qu'ils se disputaient au restaurant. C'était un de ces accidents stupides... Ils vont ensemble déposer des fleurs sur sa tombe, mais ils ignorent si leur amour survivra. Ils devraient prier pour l'âme de l'enfant, et pour leur amour. Mais ils ne prieront pas, car, comme la plupart des gens, ils ne croient pas en Dieu.

— Ce sont des amis à toi ?

— Non.

— Comment sais-tu tout cela, à propos de leur fils ?

Caterina hésita.

— La mort, c'est comme Venise, tout le monde se connaît.

Nous marchâmes un moment en silence. Le jeune couple monta tristement les marches moisies au-dessus du porche d'eau et disparut dans la pénombre du cimetière.

— Je suppose que ce rituel les aidera à mettre de l'ordre dans leurs idées, dis-je. Même s'ils ne croient pas en Dieu. C'est à cela que servent les rituels.

Caterina me lâcha le bras.

— Tu ne sais rien de la vérité !

— Alors quelle est-elle, la vérité ?

— Ce n'est pas seulement un rituel vide de sens. Nous, les Vénitiens, nous croyons que les morts reviennent chez eux, cette nuit, pour manger le pain des vivants. C'est une des raisons pour lesquelles nous venons à San Michele. Par charité. Nous leur apportons de la nourriture pour leur éviter d'aller si loin pour en trouver.

— Attends... Les morts mangent ?

J'étais incapable de savoir si elle parlait sérieusement.

— Oh oui. On a très faim, dans la mort.

— Est-ce qu'ils mangent des gaufres ? J'ignore pourquoi, mais j'aime l'idée que les morts mangent des gaufres.

Elle ignora mon ironie.

— Chez moi, quand j'étais petite, nous laissions un feu allumé dans la cuisine, et un bol de pâtes et de lentilles chaudes.

— Et les morts venaient manger des pâtes et des lentilles ? Quels morts ? Tous les morts, ou simplement les proches parents ?

Elle haussa les épaules, un sourire triste au coin des lèvres.

— Ma grand-mère qui était morte, et mon petit frère, oui, je croyais qu'ils viendraient manger les pâtes et les lentilles. Mais un matin, j'ai vu le cuisinier jeter dans le canal la nourriture intacte, et j'ai cessé d'y croire. Pendant des années, je n'ai cru à rien. Mais quand on vieillit, parfois, on recommence à croire. Je suis catholique, tu vois. Et nous, les catholiques, nous avons une autre raison de venir à San Michele, cette

128

nuit. Nous venons prier pour toutes les âmes du purgatoire, pour que leurs souffrances s'achèvent au plus vite. Nous prions pour toutes les âmes damnées en enfer, afin que Dieu leur montre Sa miséricorde.

— Oui, je sais tout cela. C'est ce qu'on m'a appris au catéchisme.

— Tu le sais, mais tu ne crois pas.

— Et toi ? Tu crois à l'enfer ? Au diable, à toutes ces histoires ? La fourche, la cape rouge ?

— Peu importe comment tu l'imagines, rétorqua-t-elle d'un ton mystérieux. Le diable est plus terrifiant que tout ce qu'on peut imaginer. Oui, je crois à l'enfer, à la souffrance. Je vais te raconter l'histoire de la Fête des Morts. Un pèlerin vénitien revenait de Jérusalem lorsqu'une tempête coula son navire. Seul rescapé du naufrage, il échoua sur une île déserte au beau milieu de l'Adriatique. Entre les rochers de cet endroit désolé, il trouva une caverne profonde de dizaines de milliers de pieds. Les galeries descendaient jusqu'au purgatoire. Jour et nuit, le pèlerin entendait les gémissements des âmes torturées remonter de la caverne. Mais il entendait aussi les conversations des démons, leurs tortionnaires. Ils étaient très en colère parce que chaque prière dite pour les morts libère l'âme d'un de ceux qui souffrent. Les démons haïssaient les prières pour les morts autant qu'ils haïssaient Dieu en personne.

« Un jour, un navire vint secourir le pèlerin et le libérer de cette île effroyable. De retour à Venise, il alla voir saint Odilio, un très grand homme, très pieux, de cette époque lointaine. Le pèlerin lui expliqua qu'il suffisait d'une prière pour libérer une âme des tourments du purgatoire. Le saint ordonna que, désormais, un jour par an soit réservé à de telles prières. Voilà pourquoi les catholiques sont à San Michele cette nuit.

Je lui jetai un regard en coin pour savoir si elle plaisantait. Mais son expression était dénuée de sarcasme. Elle m'avait raconté cette histoire extravagante avec une naïveté enfantine. Le monde moderne ne croit plus à rien, nous ne nous exprimons plus que par l'ironie. Avons-nous vraiment gagné au change, me demandai-je, avec notre scepticisme, notre si précieuse honnêteté intellectuelle ?

Quand nous arrivâmes au porche du cimetière, Caterina s'arrêta un instant pour arranger sa coiffure et son rouge à lèvres devant le miroir de son poudrier. Je la laissai satisfaire cette petite vanité et avançai lentement jusqu'au bord du quai. Je contemplai la nuit. En cet instant, les lumières de la ville, de l'autre côté du canal, me semblèrent la plus belle chose du monde. L'eau était haute, et un vent d'est formait quelques moutons à la surface des vagues. Il n'y avait pas d'étoiles. La lune se leva, telle une demi-pièce d'argent ternie au-dessus du dos noir de l'Adriatique.

24

L'immense cimetière de San Michele luisait doucement à la lueur tremblante des cierges et résonnait du
bruissement des voix. Partout où je posais les yeux, je
voyais des groupes rassemblés dans l'ombre entre les
tombes, avec les bouteilles de vin et les victuailles
apportées de la ville. San Michele était plein de
lumière et de mouvement, cette nuit-là, comme un
champ du Nebraska envahi par les lucioles les soirs
d'été.

Par un sentier dallé longeant les terrasses, on arrivait à une ligne de tombes contiguës (comme des maisons bourgeoises à Baltimore) et formant un long arc
de cercle. Nous entrâmes dans le cloître d'une vieille
église. L'odeur de moisi et de pourriture donnait à l'air
un goût sucré. L'obscurité nous renvoyait l'écho de
nos pas. C'était San Michele in Isola, une élégante
construction de la Renaissance. Malgré la présence de
quelques cierges vacillants, elle était presque entièrement plongée dans l'obscurité. Au fond de la nef, un
groupe était rassemblé devant les portes cloutées,
grandes ouvertes sur la lagune. J'apercevais le pont de
bateaux sur le canal, et les lueurs de la ville à travers
la brume. Juste au-delà du seuil, un feu orange clignotant et quelques cônes de plastique marquaient
l'endroit où le porche d'eau de l'église avait sombré
dans l'onde noire.

Caterina me serra le bras.

— Voilà mes amis, chuchota-t-elle. Une brève cérémonie... Tu dois être patient... Puis nous mangerons.

Nous prîmes place à la limite du groupe. Je reconnus Tisiano Naso à sa corpulence caractéristique, et j'aperçus les visages pâles des deux rouquines, Bianca et Angela. Il y avait là une vingtaine de personnes que je n'avais jamais vues. Tisiano se mit à psalmodier une prière dans un latin de cuisine. Mes cours de latin étaient trop loin pour me permettre de le suivre, mais je pus saisir quelques mots — grâce, purgatoire, miséricorde, Dieu, morts. Il y eut une période de chants et de répons, toujours en latin, puis on alluma des cierges et la nef baigna soudain dans une douce lumière blanche.

— *Requiescat in pace, Paolinus Sarpius*, psalmodia Tisiano.

Il s'agenouilla et plaça soigneusement son cierge sur le sol de marbre. Les autres firent de même. Quand ils reculèrent, je vis qu'ils avaient délimité un quadrilatère de lumière tremblotante, un carré de marbre de la taille d'une tombe.

— Tu vois, c'est Sarpi, murmura Caterina. Il gît ici dans la mort, sous le sol de cette église.

Tisiano et les autres restèrent un moment silencieux, les yeux baissés. Ensuite ils passèrent devant l'autel et franchirent en file indienne la porte latérale menant au cloître. Par les terrasses, nous traversâmes le cimetière pour nous retrouver à l'avant, non éclairé, du grand ossuaire adossé à la lagune. L'odeur d'ossements et de décomposition était si oppressante que je pouvais à peine respirer. Une table recouverte d'une nappe noire et d'assiettes de porcelaine de même couleur était dressée sur le gravier, devant l'entrée principale de l'ossuaire. Les cyprès proches oscillaient devant le ciel brumeux. Les vingt convives prirent place. Il y avait une assiette pour Caterina à côté de Tisiano, mais ma présence n'était pas prévue. Quelqu'un apporta une chaise pliante, et l'on me fit une place sans un murmure.

Un moment plus tard, des serveurs chinois en veste de soie noire lustrée apparurent avec le premier plat : une mousse de truffes noires parfumées aux graines d'anis. Suivirent des œufs d'esturgeon noirs servis sur des tranches d'un pain noir très dense, des escargots noirs de la lagune cuits dans une sauce à l'ail noirci, et du poulpe servi dans son encre, sur des linguinis noirs. C'était un des repas les plus bizarres que j'aie connus. La nourriture était entièrement noire, sans qu'aucune touche de couleur vienne jamais l'égayer. Le vin dans les verres de cristal était épais et noir comme de l'huile de moteur. On nous servit de la Teriaca en guise de digestif, puis une fine tranche du gâteau de Caterina, au chocolat amer et très noir. J'étais un peu pris de vertige. Nous mangions en silence. Pendant toute la durée du repas, un homme aux longs cheveux noirs joua une musique mélancolique sur un instrument qui ressemblait à une mandoline et dont Caterina m'apprit qu'il s'agissait d'un luth.

Quand on eut débarrassé les assiettes, les serveurs chinois distribuèrent des cigarettes turques dans un coffret d'ébène. Tisiano en alluma une et tourna vers moi ses yeux globuleux.

— J'ai entendu dire que personne ne fume plus, en Amérique. Que c'est même interdit.

— Seulement dans les lieux publics, et dans l'État de Californie, dis-je en prenant une cigarette.

Il hocha gravement la tête et souffla un fin nuage de fumée vers le haut des cyprès.

Bianca, l'une des rouquines, se pencha en avant et me toucha le bras.

— Comment avez-vous trouvé notre petite cérémonie, *signor* Squire ?

Son large sourire dévoilait ses gencives, qui me semblaient noires contre ses dents très blanches.

— Très émouvante, répondis-je.

Tisiano agita une main grasse.

— Comment pouvons-nous espérer qu'un Américain comprenne ce que Sarpi représente pour nous ?

Sa voix n'était pas dénuée de condescendance.

— Vous avez raison, admis-je. Pourquoi ne me l'expliqueriez-vous pas ?

Il hésita un instant, surpris.

— Oui, Tisi, intervint Caterina. Vas-y.

Le gros homme haussa les épaules.

— Sarpi, c'est Sarpi.

— Il va falloir faire mieux que ça, lui dis-je.

Tisiano fit la moue, l'air pensif.

— Très bien. Je commencerai par son apparence physique. Il était de taille moyenne — ni petit, ni très grand — mais très délicat. Il avait des traits fins comme un oiseau, une fine moustache, des yeux noirs. Sa santé n'était pas très bonne. Presque toute sa vie, il a souffert d'incontinence. Il avait les cheveux très courts, comme les anciens Romains, et il portait toujours un pansement, juste ici... (Tisiano tapota sa pommette, juste sous son oreille gauche) pour dissimuler l'horrible cicatrice laissée par la lame de l'assassin.

Il s'interrompit pour tirer une bouffée de sa cigarette. J'entendais le cri mélancolique des mouettes dans le lointain, et le murmure de la lagune, hors des murs du cimetière.

— Quelqu'un a essayé d'assassiner votre héros ? Qui était-ce ? La mafia ?

Tisiano secoua la tête, ce qui fit tressauter ses bajoues.

— Non, bien pire que cela. Le pape. Les assassins envoyés par le pape ont saisi Sarpi à la porte de l'église Santa Maria Formosa, après les vêpres. Leur poignard l'a frappé au visage. Mais il n'est pas mort. Dieu, dans Sa miséricorde, a accordé à Sarpi une mort plus douce, dans son lit, dans sa Venise bien-aimée, après avoir reçu l'absolution. Afin que son âme puisse monter au ciel en toute tranquillité.

134

J'étais un peu déconcerté.

— Attendez une seconde... Quand donc a eu lieu cette tentative de meurtre?

— Vous voulez dire : en quelle année?

— Oui.

Tisiano réfléchit un instant.

— C'était en 1607, selon le nouveau calendrier grégorien.

— Sarpi a vécu de 1552 à 1623, ajouta Caterina.

— À vous entendre, on a l'impression que vous le connaissiez personnellement.

— Tous les vrais Vénitiens connaissent Sarpi au fond de leur cœur, dit Tisiano. Parce que, voyez-vous, Sarpi a sauvé nos âmes de l'enfer. Il a sauvé l'âme de tout le monde, à Venise. En ce temps-là, un conflit opposait Venise à Rome... Peu importe le détail... mais le pape Paul V avait mis notre ville en interdit, ce qui voulait dire qu'aucun prêtre ne pouvait y célébrer la messe, que les nouveau-nés ne pouvaient recevoir le baptême, aucun mot de réconfort ne pouvait être dit sur la tombe des morts, et — le pire de tout!— les pécheurs ne pouvaient pas être lavés de leurs péchés par le sacrement de la confession. Nous étions tous excommuniés, la ville de Venise tout entière! Mais Sarpi a défié le pape. Il était prêtre, voyez-vous, il appartenait à l'ordre des servites. Il a continué à célébrer des mariages, à recueillir des confessions, à baptiser les bébés et à enterrer les morts, même lorsque les hommes du pape, à cause de cela précisément, ont tenté de l'assassiner. Sarpi en a appelé à la justice de Dieu pour dire que le pape n'était infaillible que sur les questions de foi. C'est important, parce que le conflit entre Venise et Rome était d'ordre politique. Sarpi disait que les princes reçoivent leur autorité de Dieu et ne doivent en répondre que devant Lui pour le gouvernement de leurs peuples. Et pas devant le pape.

— Oui, Sarpi était prêtre, ajouta Bianca avec empressement, mais c'était aussi un grand savant.

C'était un érudit, un mathématicien. Un ami de Galilée.

Caterina posa sa main froide sur mon bras.

— Sarpi a fait beaucoup pour la politique, pour la science, me dit-elle à l'oreille. C'est lui qui a dressé la première carte de la Lune à l'aide d'un télescope. Mais ce n'est pas pour cela que nous l'aimons. Nous l'aimons parce qu'il nous a aidés, nous, les Vénitiens, à comprendre ce qu'est la miséricorde divine. Sarpi nous a appris que Dieu voit le bien dans le cœur de tout homme, ses bonnes intentions, son âme, quels que soient ses actes extérieurs. Le peuple appelait Sarpi *La Sposa*, la jeune épouse, tellement il était aimable et bon. À sa mort, ses derniers mots ont été pour Venise. Il a dit...

Des applaudissements polis interrompirent notre conversation. Le joueur de luth avait conclu sa mélodie triste par une variation originale. Il s'inclina avec grâce, ses cheveux noirs luisant légèrement dans la lumière faible, et se retira dans l'obscurité du jardin des morts.

Quelques minutes plus tard, l'assemblée se dispersa.

Caterina et moi traversâmes le cimetière, puis le pont de bateaux vers la ville qui nous attendait. Elle m'abandonna devant mon hôtel, juste avant l'aube. Je montai les marches de l'entrée et pris le vieil ascenseur, à moitié hébété de fatigue mais curieusement grisé. Quand je sombrai enfin dans un sommeil agité, je rêvai de nourriture noire servie à des morts sur des plateaux d'onyx noir garnis d'os luisants, puis je rêvai d'un son aigu comme le cri d'un animal blessé. Il s'avéra qu'il venait de ma *market watch*, qui sonnait avec insistance dans la vase, au fond du Grand Canal.

25

Rinio et moi, nous prîmes le vaporetto de sept heures du matin au départ de la Riva degli Schiavoni pour l'aéroport Marco Polo. Nous pensions avoir largement le temps d'attraper le vol Alitalia de huit heures quinze pour Milan. Mais il y avait une longue file au guichet de l'aéroport, et nous le manquâmes d'un quart d'heure. Le vol suivant, neuf heures trente sur Air France, nous aurait permis d'arriver à la salle du conseil de la banque Comparini de Milan vers une heure et demie — avec un retard relatif. Mais il était absolument complet.

Nous trouvâmes finalement des places sur le vol Alitalia de dix heures quarante-cinq. Nous étions épouvantés. Nous allions manquer la réunion du conseil la plus importante de l'année. Nous allions manquer le discours d'introduction de Michael Hassenreumpfer, le P-DG de Comparini International, nous allions manquer les réunions essentielles, et nous allions manquer le lunch. Nous ne serions pas à notre place quand ils feraient l'appel.

Quand l'avion décolla enfin, je vis la surface de la lagune lisse comme un miroir, et la forme sombre des îles du Rialto, que le S géant du Grand Canal coupait en deux. De cette hauteur, on eût dit deux grands fauves pris dans les puissantes mâchoires l'un de l'autre. Rinio se pencha au-dessus de ma tablette et regarda par le hublot rayé.

— Je ne suis pas du tout heureux de voir la lagune d'en haut, dit-il. Je n'aime pas sortir de Venise.

— Oui, j'imagine qu'il est dur de laisser ta femme seule avec le bébé, lui dis-je, mais je compris sur-le-champ, à son regard, que ma remarque était idiote.

— Non, elle n'est pas seule, il y a sa mère, et mes sœurs. (Il se redressa et appuya sur le bouton pour appeler une hôtesse.) Toute la journée, le bébé ne fait rien d'autre que chier et téter les seins de ma femme. Et il hurle toute la nuit, il hurle, et j'ai moi-même envie de hurler. Les bébés, c'est aux femmes de les aimer. Plus tard, quand ils sont grands...

Il s'interrompit, avec un geste qui se passait de traduction.

Je me retournai vers le hublot et regardai Venise glisser dans le lointain. Là-bas, quelque part, dans une chambre obscure de la maison paternelle, Caterina essayait de dormir en dépit de la lumière du jour. Je me demandais si j'en saurais jamais un peu plus sur elle, et j'eus soudain un triste et terrible pressentiment. Le moment n'était pas loin où je ne la reverrais plus. Sans doute pas demain, ni dans une semaine, peut-être même pas dans un mois, mais ce moment n'était pas loin.

Les lumières étaient voilées. Nous arrivâmes au milieu d'une présentation audiovisuelle de Tribex UK, une firme d'engineering de Soweto (Afrique du Sud) dont la banque s'était assuré le contrôle au printemps précédent. Le décor était luxueux mais froid, et il régnait une odeur caractéristique de neuf, à base de colle et de désinfectant pour moquette. Cela me rappelait les amphithéâtres modernes mais absolument inconfortables qu'on avait construits à Saint-John pendant ma dernière année d'études. Mais à Milan, en guise d'étudiants, les rangées de sièges à tablette amovible étaient occupées par des *traders* et des jeunes cadres prenant des notes. Et comme l'Italie ignorait ces règlements absurdes qui interdisent le tabac à l'intérieur des bâtiments, un nuage de fumée bleue planait au-dessus de la fosse centrale.

Rinio rejoignit ses collègues de Comparini Venise. Les représentants des banques américaines occupaient les premiers rangs. Je ne voulais pas perturber l'exposé en cours. Je choisis donc un siège à l'écart, au fond de la salle. Un Anglais aux cheveux carotte et aux dents proéminentes pointait son crayon laser sur le graphique « Profits et pertes » projeté sur un écran, et parlait d'un ton monotone. Dès que je m'assis, une lassitude irrésistible envahit mes membres. Si ce type parle une minute de plus, me dis-je, je m'écroule de sommeil, pour la première fois depuis des mois.

Soudain, je me redressai sur mon siège. Sur l'estrade, à droite de l'Anglais, les huiles occupaient une rangée de fauteuils pivotants à haut dossier. J'aperçus Michael Hassenreumpfer, Emilio Zattare, Milt Eisenberg et Pascal Dreyfuss (je ne connaissais ces deux derniers que par leurs photos publiées dans les pages glacées des bilans annuels). Mais il y avait un autre figurant, que je connaissais depuis toujours, celui-là. Warren Sinclair était assis entre Dreyfuss et Eisenberg, l'air profondément concentré. Il avait les dents serrées, le front plissé, le menton posé sur son poing fermé, le coude bien calé dans la paume de sa main. Il portait un costume impeccable, une cravate rouge et des mocassins à glands. La caricature du cadre bancaire consciencieux. Il était là pour s'offrir ma tête.

À cinq heures et demie, l'assemblée générale se scinda en groupes de travail qui se dispersèrent dans les différentes salles de conférences. Comparini USA (c'est-à-dire Capitol Guaranty, New York Trust, First Fidelity of Atlanta et la Tidewater Corporation) se réunit dans la salle verte du seizième étage.

Les baies vitrées offraient une vue magnifique sur Milan. Le temps était clair. J'apercevais la place du

Dôme et la célèbre cathédrale d'un côté, les pinacles dorés de la Scala scintillant sous le soleil de la fin d'après-midi et, au-delà de l'Arco della Pace à l'ouest, les formes lointaines des Alpes. Mais je n'avais pas le temps de rêvasser devant cet admirable panorama. Warren était un homme qui voulait des résultats, et il aimait mettre les gens sur le gril, sans avertissement. Cela faisait partie de sa stratégie. Il fallait être prêt à monter au créneau à tout moment, prêt à se jeter tout entier dans la mêlée, pour le bénéfice de l'équipe.

Je pris un siège à l'arrière, une fois encore. Je me dis qu'on m'oublierait peut-être si j'étais hors de vue. La salle de conférences s'emplit de visages américains, vifs et colorés. Leur anglais me blessait les oreilles. Après des semaines de dialecte vénitien chantant, nuancé et séduisant, il me semblait dur et bizarre. Je reconnus quelques *traders* du bureau, mais je n'avais aucune envie de leur parler. Je répondais à leurs « Comment va ? » et autres « Hé, Jack ! » par des signes de la main, des haussements d'épaules et des sourires. Warren entra, suivi de Ted Bulley, un arriviste formé à Yale, que j'avais déjà aperçu à la salle des marchés. Bulley était jeune, athlétique, blond et sûr de lui. C'était un excellent *trader* et un homme facile à haïr. Au moment où il passa devant moi, Warren me serra l'épaule. Je sentis la pression de ses doigts à travers le rembourrage de mon veston.

— Content que tu sois là, Jack !

Il souriait, mais son regard était noir.

— Hé, mec ! dit Bulley, et il fit un pistolet avec son pouce et son index.

La réunion commença par le rapport de Bill Snead, qui se trouvait au Banco di Roma depuis plus d'un an. Il était spécialisé dans les taux d'intérêt européens en général, et les taux préférentiels italiens en particulier. Il nous fit un compte rendu très clair sur les fluctuations du marché durant les six derniers mois, et sur l'influence des aléas de la politique en période électorale.

Je me surpris à rêver. Snead avait épousé une Italienne, à New York, quelques années plus tôt. J'avais vu des photos. Elle était plutôt grande pour une Italienne, et assez jolie. Lui, c'était un type petit et trapu avec une prédilection pour les nœuds papillons et les chemises rayées. Dans un moment de cruauté, j'essayai de les imaginer, sa femme et lui, en train de faire l'amour. Je me demandai combien de fois ils le faisaient par semaine, qui était sur l'autre, qui était dessous, si l'un d'eux se faisait attacher sur le lit, si Snead se baladait dans la maison en sous-vêtements féminins... Puis j'eus honte de moi.

Snead laissa la place à Rick Bottoms. Je ne le connaissais pas. C'était l'homme de Capitol Guaranty au Credito Italiano. Son travail était encore meilleur que celui de Snead. Il était précis, didactique, et connaissait des tas d'anecdotes drôles. Sa spécialité, c'était le financement immobilier et l'évolution des prêts à la construction en Italie. Sujet épineux, car le monde du bâtiment dans ce pays était aussi infesté par la fraude et la corruption de la mafia qu'une vieille grange par les termites. Bottoms fit tout de même un excellent boulot et décrivit la situation de manière aussi détaillée que divertissante.

Quand il eut regagné son siège, Warren se leva et passa derrière le podium. Je sentis mon estomac se contracter.

— Le prochain exposé sera quelque peu improvisé, dit-il. Mais je pense que nous devons entendre ce que Jack Squire, notre homme à Venise, a à nous dire. Il sait déjà tout ce que Capitol Guaranty doit savoir de la situation politique en Italie. Jack?

Le salaud! Il ne m'avait jamais parlé d'un exposé. Il ne m'avait même pas dit qu'il venait en Italie! Je le connaissais, pourtant. J'aurais dû me préparer à un coup fourré de ce genre. Je me levai et remontai lentement l'allée, l'esprit œuvrant à cent à l'heure. Quand j'arrivai sur le podium, j'avais les mains moites, la sueur me coulait le long de la nuque. Dans la seconde qui suivit, je m'aperçus que j'ignorais tout de la situation politique italienne. J'en savais à peu près autant que sur l'égyptologie. Ça se réduisait à ce que j'avais lu dans les journaux. Je pouvais à peine me concentrer sur mon auditoire. Je remarquai en revanche le regard de Ted Bulley. Ou plutôt son absence totale de regard. Ce type attendait tout simplement que je me ramasse.

— Avant d'aborder la manière dont la lire se comportera au lendemain des élections d'avril, attaquai-je, j'aimerais vous parler un peu de Venise. La première chose que vous remarquez en arrivant là-bas, c'est que les rues sont pleines d'eau... (Je marquai une pause. Personne ne riait.) Je plaisante, bien sûr, mes amis. En tout cas, la ville s'enfonce au rythme d'un centimètre tous les deux ans. Cela ne vous dit peut-être pas grand-chose, et le commun des mortels croit peut-être que ça n'a aucun rapport avec la situation politique, mais croyez-moi, c'est tout de même le cas. Le gouvernement italien pourrait empêcher le naufrage de Venise. Il n'en fait rien. Pourquoi ? En un mot, la politique...

Je continuai longtemps sur ce registre, très vague, sans quitter les généralités. Après quelques minutes, je fus conscient que mon public m'échappait. Ils se tortillaient sur leurs sièges, toussaient, froissaient des papiers, contemplaient la lumière dorée de l'après-midi au-dessus des toits de Milan. À la fin, j'entendais à peine les mots que je prononçais. Au lieu de quoi, un vacarme retentissant emplissait mes oreilles. Le fracas de ma carrière qui tombait en morceaux. Quand je quittai le podium et descendis l'allée pour regagner mon siège, personne n'osait me regarder en face.

26

Après la réunion, Warren me rattrapa dans le hall, devant la salle de conférences. Il avait l'air crispé. Il agita un doigt gras dans ma direction.

— Il faut que je te parle. Tout de suite.

Ted Bulley rôdait à sa droite. Il avait l'air d'un croque-mort dans l'exercice de ses fonctions.

— Bien sûr, acquiesçai-je d'un ton calme.

— Et si ça ne te dérange pas, je vais demander à Ted d'assister à notre entretien.

Ça me dérangeait, mais je ne dis rien. Encore un truc classique de la méthode Warren. Il voulait que l'on sache que quelqu'un, dans la coulisse, était là et attendait de prendre la place.

— Cherchons un endroit tranquille.

Warren parcourut le couloir à grands pas, essayant de pousser les portes des bureaux obscurs. L'une d'elles s'ouvrit. Il nous fit signe de le suivre. C'était un cagibi désaffecté. Il y avait un bureau poussiéreux, un fauteuil pivotant cassé dans un coin, et plusieurs vieux ordinateurs en pièces détachées sur la moquette ocre. Warren s'assit sur le bureau, tandis que Bulley allait se poster devant la fenêtre, les lèvres serrées et les bras croisés. Je pris le fauteuil, l'esprit vide, et levai les yeux vers eux. Je transpirais, comme un suspect soumis à un interrogatoire au fond d'un commissariat.

— Attendez une minute, dis-je avec un sourire forcé. Vous n'êtes pas censés me lire mes droits?

Warren ignora ma boutade.

— Ton exposé, Jack, c'était une connerie. Très embarrassant. Le genre de chose qui ridiculise une équipe.

— Tu aurais peut-être pu me prévenir, Warren, m'entendis-je répondre.

Il agita à nouveau le doigt vers moi.

— Tu sais parfaitement que tous les membres de mon équipe doivent réagir au quart de tour. À l'heure qu'il est, tu devrais être un expert en politique italienne! Tu devrais être capable de rédiger ce rapport pendant ton sommeil.

Je faillis rétorquer : *Encore faudrait-il que je dorme.* Mais je parvins à me retenir. Bulley profita du silence pour intervenir.

— Pour être juste avec Jack, quelques diapos et deux ou trois graphiques lui auraient foutrement simplifié la tâche... Et tout cela demande un peu de préparation. Et puis, peut-être Jack n'est-il pas un grand orateur...

Il m'adressa un grand sourire, comme pour dire : *Je suis de ton côté.* Mais les plus grands tueurs à gages s'exercent à faire de tels sourires à leur miroir, chaque matin, juste avant d'aiguiser leur hache. Il n'était certainement pas de mon côté.

Ils attendaient tous les deux que je prononce les mots qui me condamneraient. Bulley se léchait littéralement les babines. Une pâle lumière d'après-midi inondait la pièce. Le grondement sourd de la circulation nous venait de la via Dante. Je croisai le regard de Warren, et ce que je vis me coupa le souffle. Je regardai à nouveau, pour être sûr de ne pas me tromper. Mais il n'y avait pas d'erreur. Je venais de plonger dans les yeux d'un cadavre. Des yeux noirs, sans expression, ternis par la mort. Je ne pus retenir un hoquet. Warren se mourait. Il semblait robuste et en bonne santé, mais un mal implacable le rongeait de l'intérieur. Il n'avait plus longtemps à vivre. J'étais incapable de dire comment je le savais. Mais il n'y avait aucun doute dans mon esprit. Dans moins de trois mois, Warren serait mort.

Il tressaillit.

— Un problème, Jack?

Je me levai de mon fauteuil d'interrogatoire et me tournai vers Ted Bulley.

— Ça t'ennuierait de me laisser seul avec Warren?

Bulley eut l'air étonné. Il se tourna vers Warren. Ce n'était pas prévu au programme. Il ne voulait pas perdre une miette de l'hallali.

Warren hésita.

— Tout ce que tu as à dire, Ted peut l'entendre.

— Cette manière d'humilier les gens en présence de tiers... Ce n'est pas bien, Warren, dis-je doucement. Mais ce n'est pas de ça que je veux parler. Je veux parler de toi. Comment va ta santé? Tu vas bien?

Il cligna des yeux, puis se tourna vers son acolyte.

— Nous nous retrouverons à l'hôtel, Ted.

L'autre hocha la tête, déconcerté, et quitta la pièce.

— Maintenant, dis-moi. Qu'est-ce que c'est que cette histoire?

Warren essayait de jouer au dur, mais sa voix se brisa. Je posai la main sur son bras.

— Tu ne vas pas bien, Warren, n'est-ce pas?

Il ouvrit la bouche pour nier. Aucun mot n'en sortit. Alors il pencha la tête et se replia sur lui-même comme une chambre à air qui se dégonfle. J'entendais à peine sa voix.

— Non. Je ne vais pas bien.

— Que disent les toubibs?

Il leva les yeux vers moi. Ils étaient étranges. De nouveau, j'y vis la mort.

— Comment sais-tu cela, bordel? Je n'en ai même pas parlé à Karen.

Je haussai les épaules.

— Je l'ignore. C'est dans tes yeux.

— Hein?

Il ne comprenait pas. Moi non plus.

— Peu importe. Mais je pense vraiment que tu devrais en parler à Karen. Tu devrais peut-être même abréger ton séjour ici. Rentre chez toi, et dis-lui que tu l'aimes.

Il laissa échapper un gloussement sec, malsain.

— Mais je ne l'aime pas ! Et de toute façon, j'ai des réunions pour les quatre jours qui viennent. Mon agenda est plein.

— Warren ! Tu ne devrais pas perdre ton temps ici, parmi des étrangers. La banque, les élections, tout ça n'a plus aucune importance. Pour toi, en tout cas.

— C'est exactement ce que j'allais te dire, Jack. J'allais t'annoncer que je te foutais à la porte. Et donner ton job à Bulley, sur-le-champ.

— Je t'écoute.

Il baissa les yeux au sol, serrant et desserrant les mains. J'attendais qu'il parle.

— Tu m'as demandé ce que disent ces salauds de toubibs, reprit-il enfin. Ils disent que c'est un cancer. Le cancer de la lymphe. Bon, je peux te le dire. Dès mon retour, j'attaque la chimio. Mais je ne vais pas laisser cette saloperie me mettre à terre, tu comprends ? Pas de congé spécial, rien de tout ça. Ce sont les minables qui ralentissent, qui interrompent leurs activités. Ce sont eux qui tombent raides morts. Pas moi. Je ne me laisserai pas abattre par cette saloperie.

— Regarde-moi, Warren.

Il leva les yeux vers moi. Son visage exprimait l'innocence enfantine, l'impuissance. Je m'approchai de lui, et posai deux doigts sur sa carotide, juste au-dessus du col empesé de sa chemise Brooks Brothers. Je vis le lit d'hôpital chromé et blanc, les sacs d'hémoglobine déversant leur contenu en pure perte, puis le cadavre immobile et pâle, et le cercueil, et la chair se décollant du crâne, la décomposition progressive dans la tombe. C'était insupportable. Je laissai retomber ma main, et je reculai d'un pas.

146

— Eh bien, tu es devenu toubib? me demanda-t-il.
Je m'efforçai de sourire.

— Ce sont tous ces livres que j'ai lus à Saint-John,
tu sais bien. L'*Exercitatio anatomica* de Harvey. Suis
mon conseil, Warren. Rentre chez toi. Tout de suite.

Je n'attendis pas sa réponse. Je tournai les talons et
quittai la pièce.

27

Je trouvai un petit bistrot sous l'échafaudage de la porta dei Fabbri. Pendant deux ou trois heures, je restai effondré au bar. Je bus de la grappa avec de la Moretti pour faire passer, en essayant de comprendre ce qui m'arrivait. Une grosse prostituée vêtue d'un corsage de lamé doré somnolait à l'autre extrémité du bar. Un nain était assis derrière une table crasseuse, penché sur une grille de mots croisés. Dans un coin, le juke-box jouait sans arrêt la version de Perez Prado de *Patricia*. Pendant quelques minutes, je me dis que j'étais un figurant dans un film de Fellini. J'étais désolé pour Warren. Mais je m'inquiétais surtout pour moi-même. Qu'est-ce qui se passait ? Des années auparavant — le jour de la mort de ma mère —, j'avais décidé que Dieu n'existait pas. Les pressentiments et les visions n'étaient pas le genre de choses qui m'empêchaient de dormir. Surtout s'ils étaient sinistres.

Six grappas (plus les six bières nécessaires pour les faire descendre) ne m'apportèrent guère plus qu'un vague mal de tête. Je ne pouvais me défaire du sentiment désagréable que ma peau se couvrait d'une mince couche de sueur. Il fallait que je me plonge dans la trivialité de l'existence, et vite. J'appelai Rinio au numéro où je savais le trouver, chez un de ses cousins. Il s'apprêtait justement à sortir.

— Ce soir, je vais dans un club très spécial, me dit-il. Mais je te préviens, il y a des filles qui...

— Je m'en fous, l'interrompis-je. Pour moi, c'est parfait.

Au club Strip-Sexy!, des filles nues se trouvaient dans des cages suspendues au plafond. Chacune d'elles avait accroché un téléphone cellulaire à son porte-jarretelles. Certaines tournoyaient au rythme d'une musique new wave des années quatre-vingt, d'autres se masturbaient avec d'énormes godemichés, des brosses à cheveux ou des ustensiles chromés. Une rangée de téléphones roses s'alignait le long du bar. Il suffisait de décrocher un combiné et d'introduire une carte de crédit pour parler à l'une des filles. Cinquante mille lires vous donnaient droit à cinq minutes de conversation sonore et grivoise. Pour deux cent mille lires, la cage descendait, la fille venait se percher sur vos genoux comme un canari lubrique et se caressait les seins sous votre nez. Après quoi vous étiez livré à vous-même.

— Mais pour un demi-million de lires, m'expliqua Rinio, tu peux l'emmener à l'étage, dans un coin du club où l'éclairage est tamisé. La pièce est pleine de ces énormes coussins ovales et douillets qu'on appelle les *nidi d'amore*. Là, tu as toute liberté avec elle pendant un vrai quart d'heure. Mais chaque fille décide, continua-t-il *sotto voce*. Certaines ne veulent rien entendre. D'autres, contre la somme d'argent appropriée, te rejoindront à ton hôtel et te feront l'amour comme tu le souhaites.

— Cet endroit n'est donc rien d'autre qu'une sorte de bordel high-tech, dis-je, stupéfait, les yeux au plafond.

— Quel mot vulgaire, mon ami! Les filles ne sont pas des prostituées. Elles sont... (Il hésita, chercha les mots exacts.)... Elles sont beaucoup plus belles. Et beaucoup plus chères, aussi, que des prostituées. (Il

se pencha un peu plus vers moi.) Un de mes amis...
C'est un *avvocato*, un avocat respectable avec une
femme et trois enfants. Un jour, il vient ici, et il tombe
amoureux d'une des filles. Il l'emmène là-haut, au
nido, tous les soirs, pendant des mois. Il la supplie,
mais elle refuse de le voir hors du travail. À la fin de
l'année, pffuit ! Il a dépensé des millions de lires, il est
complètement ruiné, sa femme divorce et emmène les
enfants.

— Tu devrais faire attention, Rinio, dis-je en agitant le doigt.

— Oh... (Il haussa les épaules.) Pour moi, c'est gratuit. Le propriétaire du club est un de mes cousins.

Je me serais parfaitement contenté d'avaler des
bourbons à l'eau très chers en regardant le spectacle.
Mais Rinio décrocha le téléphone rose devant lui et
commanda deux filles. Un instant plus tard, les cages
descendirent avec un léger grincement de machinerie
de scène, et les filles se retrouvèrent sur nos genoux.

— J'adore Milan ! s'exclama Rinio par-dessus
l'épaule de sa compagne.

C'était une blonde bien charpentée, avec de gros
seins en pointe comme on en voyait dans les années
cinquante. Rinio voulut dire autre chose, puis il
haussa les épaules et enfouit son visage dans la poitrine de la fille. Celle qui se tenait sur mes genoux
avait une ossature plus fine, mais ses seins étaient
plus généreux, en proportion. Elle avait des cheveux
noirs et de hautes pommettes orientales. Elle prit ses
seins et me les offrit avec un sourire faussement hési-
tant, comme quelqu'un qui vous apporte une boîte de
chocolats trop riches en calories. Pendant un
moment, je fus tenté d'accepter. Puis je secouai la tête
et tapotai le tabouret à côté de moi. La fille sembla
déçue. Mais elle prit le tabouret et accepta le verre que
je lui offrais. Elle commanda un cuba libre, qu'elle
avala d'un seul coup.

— Vous avez déjà une fille ? demanda-t-elle dans un
bon anglais.

J'hésitai un instant.

— Oui. Si l'on veut.

— Où habite-t-elle ?

— À Venise.

— Ah ! Une Italienne.

— Oui.

— Les femmes de Venise, elles sont très belles.

— Vous avez raison. (Je me levai et sortis mon portefeuille.) Il faut que j'y retourne.

Dehors, l'air de la nuit était chargé de gaz d'échappement. L'ombre du Duomo se dessinait contre le ciel jaune. Je ne voyais pas les étoiles, je ne sentais pas la mer, je n'entendais pas le murmure de l'eau dans les canaux. J'avais désespérément envie de rentrer à Venise et de revoir Caterina. Au bout de quelques minutes, Rinio me rejoignit sur le trottoir.

— Ces filles sont drôlement affectueuses, dit-il. Mon cousin me dit que ces deux-là, elles sont accommodantes. Et toi, tu t'en vas !

— Désolé, Rinio. Peut-être ne suis-je pas d'humeur à cela, après tout.

— Je ne t'ai pas froissé en t'amenant ici ?

— Non, pas du tout. Mais il faut que je rentre, je ne me sens pas bien.

— Tu rentres à Venise ? (Il semblait incrédule.) Ce soir ?

— En me dépêchant, je peux attraper la navette de minuit.

Rinio inspira profondément, puis il soupira.

— C'est cette femme, la Vendramin... Elle te tient par les *coglioni*. Maintenant, à mon tour de te faire la leçon... Je te le répète, mon ami, méfie-toi des Vénitiennes, elles ne sont pas bien. Regarde ma femme !

Il me broya la main et courut retrouver sa volière pleine de promesses de voluptés.

28

Caterina se dévêtit sans un mot, s'agenouilla et fit la *vongola* pour moi. Un peu plus tard, elle se retourna, se mit à quatre pattes et me prit dans sa bouche. Un progrès inattendu. Ce fut bref. Puis elle s'installa au milieu du lit, faisant glisser sa croupe sur un oreiller.

— Embrasse-moi ici, murmura-t-elle.

C'était la première fois qu'elle me le proposait. J'avais essayé, avant, mais elle m'avait toujours gentiment repoussé. Et maintenant, les murs de marbre de la chambre d'hôtel se faisaient l'écho de ses encouragements, dans la douce et intraduisible langue du plaisir. Je pensai aux flancs luisants de poissons nerveux, à des immeubles antiques à demi enfoncés dans l'eau verte, à la douce et terrible puanteur de la vase. Un peu plus tard, nous étions allongés côte à côte, entortillés dans les draps. Nous écoutions le bruit sourd et lointain des dragueurs nettoyant les canaux ensablés autour de la Fenice. L'aube approchait. Bientôt, Caterina se rhabillerait et disparaîtrait dans des lieux inconnus de moi.

— Il m'est arrivé une chose bizarre, à Milan.

— Ah bon ?

Elle se nicha contre moi, pressa son visage dans mon épaule.

Je lui racontai ce qui s'était passé avec Warren.

Comment j'avais deviné qu'il allait mourir, rien qu'en regardant ses yeux.

— Il m'a avoué qu'il était malade. Et il n'en avait parlé à personne, pas même à sa femme.

Avec deux doigts, Caterina fit un petit homme qui marcha sur ma poitrine. Elle ne montrait aucune surprise. Elle avait les doigts glacés.

— Peut-être as-tu le don de prophétie. C'est un grand don, un don de Dieu.

— Non. Je ne crois à rien de tout ça.

— Pas même en Dieu?

Elle avait l'air choquée.

— Non, lui dis-je.

Elle garda le silence pendant un moment.

— Est-ce que tu respires? demanda-t-elle d'une voix calme.

— Qu'en penses-tu?

Je pressai sa main à plat sur ma poitrine.

— Si tu respires, tu crois en Dieu.

— Comment cela?

— Tu exhales le miracle de la création par le souffle sur l'argile, dans le jardin d'Éden, le sixième jour.

— C'est très romanesque.

— Je ne sais pas ce que veut dire ce mot, romanesque, ni le sens que tu lui donnes. Mais vu la manière dont tu le prononces, on dirait que je suis une femme qui se ment à elle-même.

— Écoute, il ne m'était jamais arrivé rien de tel, rien qui ressemble à cette histoire avec Warren. Tout a commencé quand je suis arrivé à Venise. Le manque de sommeil, les rêves étranges, les pressentiments bizarres.

— Peut-être Venise est-elle bonne pour ton âme parce qu'elle est si belle.

Je me retournai et l'attirai vers moi. Mes doigts se crispèrent sur son épaule.

— J'ai eu un autre pressentiment. Je pense que bientôt je ne te reverrai plus. Tu disparaîtras, simplement, tu retourneras à ta vie sans un mot. Avant que ce moment soit venu, je veux savoir au moins une chose vraie à ton sujet.

Caterina tourna la tête de l'autre côté. Elle restait silencieuse. Je la lâchai avec un soupir. Elle laissa retomber sa tête sur l'oreiller.

— Commençons par le commencement. Pourquoi moi ? Nous n'avons rien de commun.

— Ce n'est pas vrai, dit-elle. Tu ne dors pas, je ne dors pas. Nous avons les mêmes horaires. C'est très important pour moi.

— Il s'agit donc d'une simple question de commodité.

— Et tu aimes aussi les chats, dit-elle.

— Des tas de gens aiment les chats. Il doit y avoir autre chose.

— Oui, il y a autre chose. J'ai compris tout de suite que tu étais coupable. Que tu souffrais d'un sentiment de culpabilité. Et je vais te dire quelque chose que tu sais déjà... C'est pour cela que tu ne dors pas.

Mon estomac se crispa. Elle avait raison. Oui, je me sentais coupable. Coupable d'arrogance, d'opportunisme, de cruauté envers les animaux, coupable de noyer mes meilleures intentions dans la luminescence de mon écran d'ordinateur. Je pensai au regard qu'Elizabeth m'avait lancé, à ses yeux jaunes, lorsque le vétérinaire avait injecté le poison dans son corps. Je pensai à toutes les années que j'avais perdues pour gagner de l'argent. Ma mère souhaitait que je sois un artiste. Je me rappelais les scènes terribles, à la maison, lorsque mon père décida de m'envoyer dans une école militaire.

— Mais si tu n'étais pas coupable, dit doucement Caterina, je ne pourrais t'aimer autant. Car moi aussi, je suis coupable.

— De quoi ?

Caterina contemplait le plafond plongé dans la pénombre.

— Je ne suis pas différente de beaucoup de gens de Venise. Je suis coupable de nombreux crimes.

— Sois plus précise.

Elle hésita. Je crus un instant qu'elle n'irait pas plus loin.

— Je suis coupable d'aimer les belles choses plus que le bien. D'aimer le plaisir plus que l'esprit. Pendant des siècles, nous, les Vénitiens, n'avons pensé qu'à nous-mêmes, au profit que nous pouvions tirer du reste du monde. Nous feignions d'aimer Dieu, nous construisions des tas d'églises, mais nous ne L'aimions pas. Nous n'aimions que les belles églises que nous bâtissions, comme un avare aime son argent. Nous aimions le marbre et l'or et les vitraux. Un jour, il y a très longtemps, le reste du monde nous a fait la guerre. Tu savais cela ? On a jeté l'anathème, ce fléau, sur Venise. Les Vénitiens étaient abattus comme les chiens et les Juifs, partout où l'on pouvait leur mettre la main dessus.

— Nous parlions de toi, Caterina. Pas de Venise.

Elle posa une main glacée sur mon bras.

— Quand je parle de Venise, je parle aussi de moi. L'histoire de mon peuple, jusqu'au plus petit de ses crimes, continue de vivre dans mon sang. Écoute... Venise était une ville de putains et de maquereaux, tu le savais ? À une époque, il y avait plus de vingt mille putains dans la ville, depuis les harengères qui écartaient les jambes pour quelques sous, jusqu'aux courtisanes les plus élégantes qui ne couchaient qu'avec les princes, et à des tarifs princiers. Toutes, du haut en bas de l'échelle, étaient inscrites dans un grand livre au palais des Doges. Une sorte de *Libro d'Oro*, mais réservé aux putains. Ce livre classait la beauté et le talent de chacune des filles, indiquait leur prix pour une heure ou une nuit, ce qu'elles faisaient et à quel tarif, leur âge et leur nom, l'endroit où elles se trouvaient. Chaque visiteur de la ville devait payer un ducat d'or pour consulter le livre et mettre la main sur celle qui convenait à ses goûts et à son compte en banque. Les putains au sommet étaient souvent les filles d'aristocrates désargentés. De jeunes dames de bonne famille, cultivées mais très pauvres, qui avaient choisi la vie de putain simplement parce qu'elles ne supportaient plus de souffrir de la misère et de la faim.

— Caterina... commençai-je, mais elle posa une main sur mes lèvres.

— Chut! Je voudrais te raconter une longue histoire, mais tu ne dois pas m'interrompre avec des questions idiotes. D'accord?

— Est-ce qu'il s'agit de ton histoire?

Caterina soupira.

— Déjà les questions.

— OK. Vas-y. Je me tairai.

— Bien. C'est l'histoire d'une fille nommée Celestina. Une fille de Venise, il y a très longtemps. C'est une Barnabotti, ce qui veut dire qu'elle vit dans une petite maison crasseuse, sur un canal dégoûtant, dans le quartier pauvre de San Barnaba, avec sa mère et ses trois frères. La mère est une femme pieuse mais faible. Elle va à la messe chaque matin. Elle prie pour l'âme de son mari qui un jour est devenu très triste et s'est jeté dans le Rio della Misericordia. Elle laisse ses enfants seuls pendant des heures, sans nourriture ni personne pour s'occuper d'eux. Naturellement, le sang des doges de Venise coule dans les veines de cette famille et de cette fillette — un de leurs ancêtres célèbres a combattu les Turcs à Lépante. Ils possédaient jadis de nombreuses maisons et domaines sur la *Terra Firma*, et beaucoup de navires, mais toute leur fortune et leur pouvoir ont disparu. Il n'y a plus d'argent, et la vie est très dure.

« Celestina a quinze ans. Elle n'est pas vilaine à regarder, mais elle est maigre comme un clou, elle porte des haillons et elle est ignorante, car elle n'a même jamais appris à lire. Un soir, la mère prend sa fille à l'écart pour lui parler de la dureté du monde. Le monde est ainsi fait, ma chérie, qu'il n'y a pas assez d'argent pour nourrir tous les enfants. Celestina pleure en entendant ces mots, car elle sait ce qu'ils signifient. Puisque les femmes de sa classe n'ont pas le droit de travailler, elle doit vendre son corps dans les rues, ou bien se marier. Il n'y a pas d'autre choix. Et la deuxième solution est très difficile à réaliser : il n'est pas facile, à Venise, de trouver un mari pour une fille pauvre et sans dot.

« Mais Celestina a beaucoup plus de chance que la plupart. Elle a bientôt deux prétendants. Il semble que Dieu ne les lui envoie que pour l'obliger à choisir. Le premier est un jeune et beau gondolier qui a juste assez d'argent pour se nourrir et dormir sous un toit. Le second est un gentilhomme élégamment vêtu qui l'a vue un jour qu'elle achetait des choux au marché du Rialto, et qui est pris d'un désir irrésistible pour son corps. Il est très riche, il est beau, son nom figure dans le *Libro d'Oro*. Mais il a la triste réputation d'un homme qui a connu tant d'aventures qu'il est las de toutes les femmes et qu'il cherche depuis longtemps son plaisir chez les putains. C'est peut-être pour ça qu'il n'a jamais pu trouver une épouse issue d'une famille honorable.

« Naturellement, le jeune gondolier est d'une tout autre trempe. Il a le cœur pur, il est passionné et très amoureux de Celestina, et il dit que sans elle il mourra. Chaque nuit depuis un mois, il vient en gondole sous sa fenêtre pour chanter des sérénades. Elle écoute, parce qu'il a une belle voix et que les chansons sont belles, mais elle ne les laisse pas pénétrer son cœur parce qu'elle est lasse de vivre en loques et d'aller pieds nus, de se nourrir de soupe aux choux et de quelques misérables sardines le dimanche, parce qu'elle a vu les filles des Juifs du ghetto se pavaner avec des brocarts et de la soie, avec de jolis petits éventails d'ivoire et de hautes clopines aux pieds, des bracelets d'or aux poignets, des anneaux aux doigts, alors qu'elle n'a rien que des hardes et qu'elle veut elle aussi posséder tout cela. Le pauvre gondolier se languit de son amour et Celestina se dit qu'il serait très agréable d'être aimée ainsi, que les larmes sur le visage du jeune homme sont belles au clair de lune, mais non, elle ne l'écoutera pas, elle a déjà pris sa décision, un jour enfin elle l'éconduit, elle lui dit qu'elle ne veut plus le revoir.

« Le lendemain matin, le riche gentilhomme surgit comme le démon à bord d'un chaland doré au porche d'eau de la maison de Celestina. Il s'appelle le signor d'Anafesto. Dans les poches de son manteau, il a de précieux flacons de parfum, un petit sac de cuir gorgé de perles noires d'Orient, et les deux domestiques qui l'accompagnent portent un coffre plein de velours et de soieries. Celestina jette un regard à toutes ces choses merveilleuses, elle se dit : Celui-ci est riche et il n'a pas l'air trop mal, et elle accepte sur-le-champ de devenir sa femme. Le mariage coûtera des milliers de ducats. Il se déroule un mois plus tard dans la basilique Saint-Marc. À l'instant précis où la *marangona* retentit, sur le Campanile, à la fin de la cérémonie, le pauvre gondolier sort dans la lagune, s'attache une ancre autour du cou et se jette dans l'eau profonde, comme l'a fait autrefois le père de Celestina. C'est terrible, un mauvais présage, un signe qu'elle s'est vendue comme une putain, comme une esclave, à celui qui avait assez d'argent pour l'acheter.

« Naturellement, Celestina ignore tout de cette tragédie. Elle se dit simplement que sa vie sera désormais plus facile. Mais un peu plus tard, ce soir-là, elle n'en est plus très sûre. Elle est couchée, nue, dans un lit immense de bois doré au milieu d'une chambre immense, dans un immense vieux palazzo du Grand Canal. Elle attend son nouveau mari, elle attend que commencent l'horreur et la comédie de la vie conjugale. Cela semble difficile à croire, mais elle est toujours vierge, et elle ignore tout de ce qui l'attend. Au plafond, elle voit des fresques de déesses nues faisant l'amour avec des animaux, dans le style du grand Tiepolo. Le sol de marbre est recouvert de doux tapis d'Arabie, les voiles du lit sont brodés de scènes érotiques en fil d'or.

« Enfin, le signor d'Anafesto pénètre dans la

chambre, vêtu d'un splendide peignoir de soie rouge. Il s'assied soigneusement sur le bord du lit, il prend la main de Celestina, et comme sa mère jadis, il lui parle de la dureté du monde. Il a un aveu à lui faire. Physiquement, il n'est plus aussi jeune qu'il l'a été. Il confesse qu'il a peut-être trop l'expérience des femmes, ce qui a un effet désastreux sur ses appétits. En un mot, il ne peut plus faire l'amour comme les autres hommes. Pour lui, tout rapport sexuel doit impliquer au moins trois personnes.

« Celestina ne sait trop comment réagir. Le signor d'Anafesto lui sourit gentiment. Tu comprends ? lui demande-t-il. Elle lui dit qu'elle comprend, car elle ne sait que dire d'autre, et elle ne veut pas avoir l'air ignare. Il tire un cordon, et une seconde plus tard, deux putains au visage passé au blanc les rejoignent dans la chambre. Leurs lèvres sont peintes en rouge, comme des plaies sanglantes, leurs cheveux teints s'harmonisent à leurs lèvres. D'extravagantes robes pourpres mettent en valeur chaque courbe de leurs corps, qui n'évoquent rien d'autre que la luxure et l'opulence. Elles viennent du Castello, le célèbre bordel qui se trouve au bout du pont du Rialto.

« Les yeux écarquillés, Celestina les regarde se débarrasser de leurs robes pourpres et de tout ce qu'elles portent dessous, et s'allonger dans le lit de part et d'autre, nues comme des vers. Elle est pétrifiée, elle ne sait que faire. Doit-elle hurler, les griffer, les bourrer de coups de poing ? Est-ce que toutes les nuits de noces ressemblent à cela ? D'abord, les putains sont gentilles, elles essaient de calmer sa peur, elles murmurent gentiment à ses oreilles, puis elles l'embrassent et la caressent. Alors elle ne résiste pas, parce qu'elle ne sait pas comment elle pourrait résister, parce qu'elle est curieuse de ce qui va suivre, et parce qu'elle comprend très vite que le monde n'est pas seulement aussi rude que tout le monde le dit, mais que c'est aussi un endroit très bizarre, vraiment.

« Le signor d'Anafesto les regarde s'affairer toutes

159

les trois sur le lit. Son visage prend peu à peu la couleur d'une betterave cuite, et son pénis durcit lentement. Au moment propice, une des putains se penche sur lui, le suce, et après beaucoup d'efforts, il est prêt. Les deux femmes bercent Celestina dans leurs bras tandis que son mari l'enfourche. Mais son membre est trop gros. Il force l'ouverture trop étroite, elle crie de douleur, le supplie d'interrompre, mais ses hurlements ne font qu'accroître la fièvre de l'homme. Il la retourne brutalement, enfonce son visage dans le drap et la prend par-derrière, violemment, jusqu'à ce qu'elle soit si meurtrie que les draps s'imprègnent de son sang. Au cours de cette horrible nuit, il la prendra ainsi à maintes reprises, chaque fois plus rudement que la précédente ; elle sanglote et prie Jésus-Christ et la Vierge Marie et tous les saints de lui épargner cette douleur, de lui pardonner d'avoir fait un mariage si atroce, sans amour ni grâce. Elle appelle aussi le jeune gondolier — qui ne l'entend plus, car il est mort —, mais ses larmes et ses cris sont étouffés par les draps, personne ne les entend à l'exception des putains qui rient d'elle maintenant, elles rient aux éclats, c'est ce qui lui donne la force de se calmer, de serrer les poings et de supporter la douleur. Et quand son mari lâche enfin un cri perçant semblable à celui d'un porc, et qu'il retombe sur elle, épuisé, c'est comme si son âme avait été étouffée, éteinte sous une montagne de chair.

« Voilà quelle fut la nuit de noces de Celestina. Mais l'être humain est capable de s'habituer aux cruautés les plus atroces — n'est-il pas vrai que des prisonnières tombent parfois amoureuses de leurs geôliers ? Celestina a bientôt dix-sept, puis dix-huit ans. Elle a appris tout ce qu'on peut savoir de la terrible lascivité des hommes et des femmes, tout ce qu'on peut savoir des dépravations de la chair, et elle ne croit plus ni en Jésus-Christ, ni en la Vierge Marie, ni aux saints. Elle ne croit plus qu'au diable, car elle sait maintenant qu'il est le prince de ce monde et le souverain suprême régnant sur l'humanité. Et elle a appris le secret des putains, qui est très simple : il consiste à prendre du plaisir dans chacun de ses actes.

« Mais il y a des compensations. Le signor d'Anafesto se charge de son éducation, avec beaucoup d'attention et de patience. Hors de la chambre à coucher, ce n'est pas un mauvais homme. Il lui apprend à lire l'italien, le français et le latin. Il lui enseigne les arts, la musique et la littérature. Il lui apprend comment porter les soieries, les brocarts, les hautes clopines, les bracelets et les bagues qu'elle désirait tant jadis, et quand elle les porte, il lui apprend comment ne pas ressembler à une Juive du ghetto. Bientôt, elle tient compagnie aux nobles de tous les pays que son mari reçoit en son salon, elle apprend à parler nombre de langues étrangères et elle apprend à discuter d'art, de politique et de commerce aussi bien que n'importe qui. Parfois, son mari fait venir des hommes influents qui veulent jouir de son corps — des membres du Conseil des Dix, voire le vieux doge en personne —, mais ce n'est pas fréquent, et ce n'est pas grand-chose.

« Finalement, à vingt et un ou vingt-deux ans, Celestina accouche d'un fils. Personne n'est sûr de savoir qui est le père de ce bébé laid et chétif, que l'on confie sur-le-champ à une nourrice. Mais sa naissance a un effet imprévu sur le signor d'Anafesto. Il perd brusquement tout intérêt pour le corps de sa femme comme objet de plaisir, et il se met à manger, à manger, et très vite il devient très gros. Comme par miracle, Celestina est libérée de la torture sexuelle à laquelle il la soumettait. Les fréquentes visites de son mari dans sa chambre en compagnie de putains cessent complètement, et sa vie devient tout à fait supportable. Elle prend des amants en toute fantaisie, et goûte à tous les plaisirs que lui offre le carnaval. Elle boit des vins excellents, fume des opiums exquis que les navires vénitiens apportent de Constantinople, se nourrit des mets les plus fins, joue avec insouciance dans les casinos de la Giudecca, passe l'été dans la belle propriété de son mari à Asolo. Elle donne même de l'argent à sa mère et à ses frères, et envoie l'un d'eux étudier le droit à l'université de Padoue.

« Les années passent vite maintenant, dans le luxe et la volupté. Elle est aussi heureuse que peut l'être une femme qui n'a jamais été amoureuse, une femme dénuée de cœur. Une année il y a des inondations, ou une légère épidémie de peste, ou Venise doit céder Grabusa aux Turcs. Une autre année, un été très chaud succède à un printemps très froid. Cette année-là, le signor d'Anafesto — qui est maintenant monstrueusement obèse — se retire à Asolo pour fuir la canicule et Celestina reste seule à Venise. Maintenant, son âme est complètement vide, elle a renoncé à la conscience et au bonheur pour la richesse et le plaisir des sens. Mais elle est satisfaite. C'est alors que l'impensable se produit. Elle tombe amoureuse.

« C'est un jeune aristocrate anglais, au service de l'ambassadeur du roi George auprès du doge. Ils font connaissance à un bal masqué. Il est déguisé en soleil, avec un masque et une cape d'or. Deux heures plus tard, ils font l'amour dans une gondole aux rideaux tirés. Le gondolier chante des chansons sentimentales qui rappellent à Celestina le pauvre jeune homme qui s'est jeté dans la lagune par amour pour elle. Peut-être est-ce l'effet des chansons, ou bien les yeux bleus de cet Anglais et le fait qu'il est gentil avec elle, qu'il ne lui ment pas, ou la manière dont ses mains caressent son corps, en tout cas il y a quelque chose en lui... Elle ne peut dire précisément ce que c'est... Quelque chose qui élève son âme de l'obscurité où elle se dissimule depuis si longtemps, et qui fait que le monde n'est pas dur ni étrange, mais beau et doux, pour la première fois de sa vie.

« Alors Celestina se donne totalement à son Anglais, au-delà de toute mesure. Elle pratique avec lui tous les arts de l'amour qu'elle a appris avec les putains du Castello. Il n'a qu'un mot à dire pour qu'elle le rejoigne toutes affaires cessantes, où qu'elle soit. Pour lui, elle est capable d'accepter toutes les humiliations, toutes les épreuves. Et lorsqu'ils sont seuls, il lui suffit de toucher l'épaule nue de Celestina pour la faire frissonner d'extase. Elle est heureuse. Combien de temps cela dure-t-il ? Trois mois, quatre mois ? Pas plus longtemps, en tout cas, car soudain l'Anglais est rappelé dans son pays. Sa mère a arrangé son mariage avec une jeune héritière dont la famille est liée à une maison ducale, et il doit rentrer chez lui.

« En apprenant la nouvelle, la pauvre Celestina est paralysée par le chagrin. Elle supplie son Anglais de ne pas la quitter. Elle empoisonnera son gros dégoûtant de mari et se convertira au protestantisme pour pouvoir l'épouser. Elle vendra ses bijoux et ses habits, et ils pourront s'enfuir à Rome ou à Constantinople, peu importe. Mais alors même qu'elle avance ces arguments, elle sait que c'est ridicule, qu'il n'y a pas d'espoir. Il doit s'en aller, il n'a pas le choix.

« Au bout du compte, elle est prise d'une sorte de folie. Elle est enragée, incapable de la moindre pensée raisonnable. Elle ne mange plus, ne dort plus. Pendant une semaine, elle reste éveillée toute la nuit. Elle ourdit un plan pour garder son cher amant à ses côtés, pour toujours. Elle organise un ultime rendez-vous. Ils font l'amour dans une gondole, comme le premier soir, puis ils se promènent à pied dans les rues de la ville à trois heures du matin — heure à laquelle Venise est déserte, comme tu le sais, à l'exception des chats. Elle le conduit tranquillement vers la ruelle où quatre assassins armés de longues dagues attendent dans l'ombre. L'Anglais n'a pas emporté son épée. Il veut protéger Celestina de son corps, mais elle s'éloigne de lui. Il comprend trop tard que c'est un piège, que ces hommes sont là pour lui, pour lui seul. Elle regarde sans ciller. Les tueurs le frappent à la gorge et à la poitrine, il tombe sur les mains et les genoux, son sang coule en bouillonnant sur le trottoir.

« Les assassins ont été payés d'avance pour commettre leur meurtre ignoble. Leur forfait accompli, ils détalent sans attendre, mais Celestina ne bouge pas.

163

Elle ne peut détacher son regard de son amant qui exhale son dernier souffle. Il tend le bras vers elle, la main couverte de sang, ses yeux chavirent, puis il s'écroule. Elle reste là plus d'une heure, appuyée contre le mur, immobile, tandis que le ciel, à l'est, accueille les premières lueurs de l'aube. Des chats affamés sortent de l'ombre, viennent lécher les plaies de l'amant, boivent son sang répandu en flaques tièdes sur le trottoir. Cette nouvelle horreur sort Celestina de son immobilité. D'un coup de pied, elle projette l'une de ces pauvres bêtes dans le canal, où elle se noie. Les autres s'enfuient pour attendre dans la nuit. Elle se fait horreur, maintenant, mais il est trop tard. Son Anglais est bel et bien mort, il ne reviendra pas à la vie. Celestina essaie de prier Jésus-Christ, la Vierge Marie et tous les saints, mais elle leur a tourné le dos depuis trop longtemps au profit du diable, elle ne doit pas s'attendre à un miracle. Alors elle abandonne le cadavre là où il est, elle s'enfuit, et dès qu'elle a le dos tourné, les chats reviennent sans un bruit pour se rassasier de sang frais.

« Après cela, il n'y a plus rien. Celestina s'enferme dans sa chambre à coucher, dans le palazzo. C'est une meurtrière, n'est-ce pas inscrit sur son visage, au vu de tous ? Il fait très chaud. Le canal dégage une puanteur de cadavres en décomposition. La vie est intolérable, le scintillement du soleil sur la surface de l'eau, le vent chaud sur son visage et le calme de midi, tout lui est intolérable. Puis la peste frappe. Cette fois, c'est terrible, des milliers de personnes meurent en quelques semaines. La mère de Celestina meurt, puis ses frères, son fils. Son mari, qui pourtant s'était réfugié dans sa maison de campagne, meurt aussi. Elle regarde toutes ces morts avec une certaine satisfaction. Son amour est mort, son âme est morte, il vaut mieux que le monde meure avec eux.

« Une nuit, elle erre dans la ville en gondole, à la recherche de ses amis, de n'importe qui, mais tout le monde est mort. Il y a des cadavres gonflés partout, qui flottent sur l'eau. La putréfaction et la mort alourdissent l'atmosphère. La ville est devenue la ville des morts, pour toujours. Il n'y a personne à aimer, personne pour l'aimer, personne avec qui échanger un mot de réconfort ou de pitié. Dans six mois, elle aura trente ans. Sa jeunesse est derrière elle, elle a vécu intensément, sa beauté ne tardera pas à se flétrir. Elle pense au diable, qui semble ne l'avoir sauvée de la peste que pour lui infliger des tourments encore plus affreux. Non, elle va tromper le diable, elle va se libérer de lui en se jetant dans l'oubli de la mort.

« Alors elle se procure un poison puissant auprès d'un Juif du ghetto. Elle s'enferme dans sa chambre et avale le poison, qui est loin d'être aussi puissant que prévu. Ses ultimes souffrances durent des jours et des jours, c'est atroce, elle ne peut mourir. Finalement, elle prend un fragment de miroir brisé, se taillade les poignets et se laisse saigner à mort. »

Caterina interrompit brusquement son récit. Pendant un moment, toute la ville fut silencieuse. J'entendais son souffle, le faible et sombre rythme du sang palpitant dans ses veines.

— Quelle histoire horrible! dis-je lorsque je compris qu'elle n'irait pas plus loin. Elle est vraie?

Caterina hocha la tête en direction du plafond.

— Je t'ai raconté l'histoire d'une femme de ma famille. Une de mes ancêtres. C'était il y a très longtemps.

— Quand?

— Il y a de nombreuses années.

— Pourquoi m'as-tu raconté cette histoire, Caterina? Quel est le rapport avec toi?

— En Amérique, vous ne croyez pas au passé. Mais à Venise, le passé est toujours en nous. La vie de cette femme me rappelle la mienne. Pas dans ses extrêmes, bien sûr. Je n'ai jamais tué mon amant, je n'ai pas renoncé à Dieu au profit du diable... Mais j'ai gâché ma substance vitale dans des plaisirs vains, moi aussi. La boisson, la drogue, les amours éphémères. J'ai moi aussi refusé un amour honnête pour l'argent, et j'en ai souffert.

— Et maintenant ?

— Maintenant, j'essaie de réparer un peu les bêtises que j'ai commises.

— Comment ? Tu veux dire : avec moi ?

Elle ne répondit pas. Je pris ses mains et les retournai. Pour la première fois, je vis les pâles cicatrices — comme de longues éraflures d'argent — sur sa peau blanche, à l'intérieur de ses poignets.

— Et ça ? demandai-je. On dirait un autre point commun avec la fille de ton histoire.

Elle retira brusquement ses mains.

— J'en ai dit assez... J'en ai trop dit.

— Caterina, ça n'a pas d'importance. Tu peux tout me dire. Je ne...

Mais elle colla une fois de plus ses doigts glacés sur mes lèvres.

— Pas un mot de plus, je t'en prie, murmura-t-elle. Allonge-toi simplement avec moi encore un moment, avant que je doive m'en aller.

Je m'exécutai. Je reposai ma tête sur l'oreiller. Elle se serra contre moi, et je sentis la fraîcheur de son souffle sur mon épaule. J'avais encore bien des choses à lui demander. Je commençai à formuler dans ma tête quelques questions prudentes — des questions subtiles auxquelles elle ne pourrait que répondre sans détour... Ensuite, au bout d'un instant, je m'endormis. Je rêvai de chats et de coquillages, et du vaste désert sans soleil au fond de l'océan. Quand je m'éveillai, je découvris avec surprise que j'avais dormi sept heures. Il était dix heures du matin, j'étais en retard à mon travail. Il n'y avait même pas une empreinte sur l'oreiller, à côté de ma tête, indiquant que Caterina y avait posé la sienne.

29

Les hauts sommets des Rincons s'élevaient dans le lointain, contre le ciel blanc et brûlant de l'Arizona. J'ouvris la vitre du taxi et inspirai profondément l'air sec de l'extérieur. Après des mois à Venise, l'atmosphère me semblait légère, sans substance. L'antique puanteur saumâtre des canaux, les vents lourds et humides de l'Adriatique me manquaient déjà.

Une barrière métallique nous empêchait de franchir l'entrée principale du domaine du Désert Peint. *Vous vous trouvez dans une COMMUNAUTÉ DE RETRAITÉS*, annonçait une grande pancarte jaune et noire sur la guérite du gardien. *La musique bruyante et les animaux sont interdits, sauf tenus en laisse. Habillement décent exigé à toute heure. VITESSE LIMITÉE À 25 KM/H.* Un gardien en uniforme gris sortit de sa cabane climatisée et s'avança au soleil. Je lui donnai mon nom. Il lui fallut cinq bonnes minutes pour le trouver dans la longue liste fixée à son clipboard. Il finit par nous faire signe de passer. Le taxi monta l'allée sinueuse à une vitesse oscillant entre dix et vingt kilomètres à l'heure.

— Je n'ai pas envie d'attraper une amende, m'expliqua le chauffeur. Tous ces vieux sont plutôt grincheux.

— Pas de problème, lui dis-je. Prenez votre temps.

C'était un Hopi joufflu, à la peau grêlée. La carte

d'identité en plastique fixée au pare-soleil indiquait qu'il s'appelait John H. Sable Dansant. Un nom intéressant. Je me demandais ce que signifiait le H. Je laissai la vitre baissée, et le vent chaud et sec me frappa le visage. Les bungalows de stuc jaune des retraités se dressaient bien à l'écart de la route. Le vert des pelouses impeccables scintillait au soleil. Des arroseurs projetaient des arcs-en-ciel devant le blanc immaculé des trottoirs. Les Cadillac et les Buick rutilantes, dont le capot dépassait des portes ouvertes des garages, avaient l'air de sortir tout droit des halls d'exposition.

Le chauffeur me déposa au club attenant au terrain de golf. C'était une grande bâtisse biscornue de style espagnol, sur le modèle de l'hacienda de Zorro dans le feuilleton télé de Walt Disney. La cour était fraîche, avec son sol carrelé de tuiles émaillées et parsemé de plantes grasses. Je déposai mes sacs devant un comptoir désert, puis je me rendis dans le patio qui s'ouvrait sur le link. Des golfeurs retraités et leurs femmes se détendaient devant des cocktails, à l'ombre de parasols verts. Un homme sec et nerveux d'au moins quatre-vingts ans s'avança vers moi. Une visière de plastique orange lui protégeait les yeux. Il avait la peau brune, tannée comme un vieux cuir.

— Vous cherchez quelque chose ? me demanda-t-il, d'un ton légèrement belliqueux.

— Oui, je cherche le colonel Squire, dis-je en louchant vers le terrain doucement vallonné, où des golfeurs vêtus de clair avaient l'air de ramper comme des insectes sur un tapis vert.

Le vieil homme agita un pouce par-dessus son épaule.

— Il est sur le link. Nous sommes mardi. Le mardi, il fait les dix-huit trous. Seul.

— Où en est-il, maintenant, selon vous ? demandai-je en essayant de rester souriant. Sur les neuf premiers, les neuf derniers ?

— Le colonel Squire n'aime pas qu'on le dérange quand il joue au golf. Il m'a demandé...

— Merci, l'interrompis-je. Je le trouverai.

Je le contournai et traversai le patio en direction du link.

Je reconnus la silhouette familière, l'air martial et le dos raide, à une bonne centaine de mètres. Il approcha du tee au douzième trou, le club dressé, ajusta sa casquette comme s'il saluait le fanion au loin, et swingua sans hésitation. Son mouvement d'accompagnement était irréprochable. La balle s'envola dans l'air brûlant avec la précision d'un missile bien programmé. Il la suivit des yeux et hocha la tête, satisfait. Je le rejoignis au moment où il chargeait son sac sur l'épaule. Il allait partir vers le green au pas de gymnastique. Pas besoin de caddie ni de cart. Il avait soixante-quinze ans, et il était aussi en forme qu'à quarante.

— Hé, joyeux Noël... papa ! m'écriai-je, en refoulant mon désir de lui donner du « monsieur », comme j'en avais pris l'habitude pendant mon enfance.

Il se tourna vers moi, très surpris. La forme hérissée d'un cactus ocotillo se reflétait dans ses lunettes de soleil.

— Je pensais avoir le temps de faire deux ou trois parties avant le dîner, dit-il en fronçant les sourcils. On m'avait dit que ton vol était en retard.

— Oui, une tempête de neige à Chicago. On a dû attendre sur la piste pendant qu'ils dégivraient l'avion.

Je pris l'initiative, et nous nous embrassâmes maladroitement. Ensuite il recula d'un pas et me jaugea d'un coup d'œil.

— Tu as l'air fatigué. Comme si tu avais du sommeil en retard. Tes patrons te mènent la vie dure, là-bas ?

— Pas vraiment.

Je faillis ajouter que je n'avais pas dormi du tout, que j'avais les nerfs en compote sans raison précise, mais je me retins. C'était le genre de faiblesse qu'il n'appréciait pas.

— Non, c'est simplement le décalage horaire. J'ai voyagé près de vingt heures d'affilée. Toi, en revanche, tu as l'air en pleine forme. Ce doit être le grand air.

Il accepta le compliment comme allant de soi. Il était encore joliment musclé, large d'épaules, fringant dans son pantalon de golf kaki et son polo bleu pastel. Le soleil faisait scintiller la Rolex que lui avaient offerte ses hommes au retour du Vietnam. Son épaisse tignasse grise était taillée proprement au-dessus du cou, et sa moustache soignée, qui recouvrait parfaitement sa lèvre supérieure, trahissait l'officier en retraite. Il me serra le bras au point de me faire mal.

— C'est bon de te revoir, dit-il, mais d'un ton peu convaincu.

— Ça fait trop longtemps. Et cette fois, les félicitations sont tout indiquées !

Il s'autorisa un sourire.

— Nora avait envie de faire ta connaissance. Et nous avons besoin de ta signature sur certains des documents de ta mère, dans le coffre-fort. Les obligations d'État. Il y en a encore pour quarante-cinq mille dollars, avec les intérêts. Nous pensons les encaisser pour partir en lune de miel.

— Oh...

Selon le testament de ma mère, ces obligations me revenaient. Mais j'avais accepté, des années plus tôt, de les partager avec mon père. J'avais investi ma part dans la maison d'Arlington Mews. Le reste était pour lui. Cela n'avait pas beaucoup d'importance. Je n'avais pas besoin de cet argent. Et sa pension militaire ne lui permettait pas de mener une existence somptueuse.

Au même instant, nous entendîmes un vrombissement. Un cart déboucha au sommet de la butte, dans un nuage de fumée de cigarette. C'était un véhicule étonnant, avec des ailes roses et un toit aux bords dorés. Il emmenait un groupe de vieilles dames au visage parcheminé dont les cheveux blancs gonflés avaient l'air de fils de Nylon. L'une d'elles adressa à mon père un signe de la main. Il lui rendit son salut. Mais tandis qu'elles disparaissaient très vite, il jura entre ses dents.

— Ces foutues rombières et leur tabagie ! Je suis peut-être en retraite, et j'ai plus de soixante-dix ans, mais Dieu merci, je ne suis pas comme elles. Se déplacer dans une petite voiture rose, c'est aussi ridicule que d'engager un gosse mexicain pour porter les clubs. La moitié du plaisir, au golf, c'est de marcher et de trimbaler son matériel !

J'allais lui proposer de l'aider, mais je me retins. Je le suivis, désœuvré, légèrement à sa gauche. Je me rappelais sa sévérité et j'avais le sentiment d'être déplacé, alors que mes chaussures de ville s'enfonçaient dans l'herbe spongieuse du terrain. Cet homme était d'une probité absolue. Aussi loin que je me rappelais, il n'avait jamais menti ni omis une chose qu'il avait promis de faire. Nous retrouvâmes sa balle à l'emplacement idéal, au milieu d'un carré de rough à moins de vingt mètres du green. Il s'accroupit, étudia la balle, leva les yeux vers le drapeau.

— Ça a l'air d'un coup facile, papa, avançai-je. Est-ce qu'un fer 9... ?

Il me jeta un regard mauvais.

— Je n'ai pas besoin de conseils quand je joue au golf. J'y jouais déjà avant ta naissance. Écoute, Nora n'a fait que neuf trous avec ses amies. À l'heure qu'il est, elle devrait être rentrée. Pourquoi n'irais-tu pas à la maison, faire sa connaissance, te servir un verre ? Je ne serai pas long.

Je faillis lui répondre : *Oui, monsieur !* puis je me dis : *Le salaud !* Mais il était inutile d'essayer de discuter.

Dès que j'eus le dos tourné, il m'avait oublié. J'entendis le frottement sur le plastique quand il tira un club de son sac, le grincement de ses chaussures à

171

clous quand il s'avança pour faire son swing, le claquement sec du métal sur le plastique et le grognement satisfait m'informant que la balle avait été expédiée en douceur sur le green. Je ne me retournai même pas. Je revins sur mes pas, récupérai mes bagages au club et suivis le sentier de brique qui faisait le tour du terrain. Il débouchait sur un second sentier de brique un peu plus large, qui serpentait entre les bungalows. Je ne vis personne, ni sur les sentiers ni ailleurs. Les seuls mouvements venaient des arroseurs qui cinglaient l'air en tous sens, et d'un oiseau noir solitaire dessinant lentement des cercles, très loin au-dessus du désert, au-delà des murs.

30

En cherchant de l'aspirine dans l'armoire à pharmacie de Nora, je découvris un diaphragme dans un étui laqué noir, à côté d'un tube de spermicide à moitié vide. Nora Ball, ma nouvelle belle-mère — comme le mot me semblait bizarre —, ovulait encore, c'était évident. Je suppose qu'ils étaient capables tous les deux d'engendrer un enfant selon la méthode classique, mais le fait de se protéger avec un diaphragme me semblait un peu ridicule. Une grossesse normale à cinquante ans serait un miracle, à l'instar de celle de Rachel dans l'Ancien Testament, et ne devrait pas être découragée. Je n'avais pas été invité à la noce, qu'ils avaient célébrée en octobre dans la chapelle non confessionnelle attachée au club. Je n'avais été informé de l'événement qu'une semaine plus tôt, par une lettre réexpédiée d'Arlington à la banque Comparini à Venise. J'ignorais que mon père fréquentait quelqu'un. Mais il est vrai que nous ne communiquions qu'une ou deux fois l'an.

Ma montre indiquait deux heures du matin, heure de Venise. Sous le soleil de l'Arizona, il n'était que cinq heures de l'après-midi. Il paraît qu'on est censé rester debout jusqu'à l'heure où les gens du pays vont se coucher. Cela ne me serait pas difficile. Le manque de sommeil me faisait bourdonner les oreilles, et c'était aussi pénible qu'une musique de Noël enregistrée. Je trouvai un flacon de Tylénol extra-fort. J'avalai plusieurs comprimés avec un peu d'eau du robinet, fortement chlorée. La climatisation soufflait du sol et me projetait dans les jambes un vent glacé. Je voyais des taches rouges au bord de mon champ de vision. Depuis deux jours, je n'avais pas dormi une heure d'affilée.

Je pris une douche et enfilai des vêtements propres, puis descendis au salon. L'appartement était petit, mais meublé avec élégance, dans le style du Sud-Ouest. Il était décoré de quelques objets choisis dans les collections que mon père avait rapportées de ses voyages sur trois continents, au service de l'armée américaine. Des marionnettes de Java étaient accrochées au mur, au-dessus du canapé recouvert de tissu navajo, le sol était couvert de tapis persans, et des bibelots de Dresde (récupérés dans les décombres de l'infâme bombardement de 1945) étaient disposés sur le manteau de la cheminée. Autant de souvenirs qui convenaient au Marlboro Man. Il semblait que Nora n'eût pas apporté de mobilier personnel.

Des baies vitrées s'ouvraient sur un grand balcon qui surplombait le parcours de golf, parsemé des taches blanches des bunkers. Je fis coulisser l'un des panneaux. Je sortis sur le balcon, inspirai profondément et essayai de me concentrer sur le panorama. Les architectes avaient fait du bon boulot : les bâtiments dessinaient un arc de cercle imposant autour du link, sur un espace entièrement volé au désert. Il y avait même, à huit cents mètres de là, un lac artificiel d'une douzaine d'hectares où l'on pouvait faire de la voile toute l'année. Je sentais pourtant, planant sur tout cela — y compris sur le lac trop bleu et l'herbe trop verte —, un léger parfum de fatalité. Malgré son décor impeccable et enjoué, et ses pelouses parfaites, c'était un endroit où les gens venaient pour mourir.

— C'est beau, vous ne trouvez pas ? fit une voix de femme derrière moi.

Je me retournai. Nora venait de me rejoindre sur le balcon.

— Oui. Ça me change de Venise. Le contraste est un peu surréaliste.

Elle eut un vague sourire, comme si elle ne comprenait pas vraiment ce mot. C'était une femme mince et athlétique, au nez retroussé et aux cheveux bruns coupés à la garçonne. Elle portait encore ses vêtements de golf — une casquette à visière verte, un polo jaune vif et un pantalon bleu avec de petites baleines blanches. Son visage était presque exempt de rides. Seules ses mains — brunes, fanées et semées de taches de vieillesse — trahissaient son âge. Ce n'était pas encore visible, mais je devinais l'arthrite qui allait s'emparer de ses articulations et transformer ses doigts en des griffes noueuses incapables de tenir un club de golf. J'ignorais d'où me venait cette image terrible, que je repoussai immédiatement.

— Je suis vannée, dit-elle. Je n'ai fait que neuf trous. Votre père, lui, est en train de faire les dix-huit, le parcours complet. C'est un fichu bonhomme. Plus d'énergie qu'un gamin de la moitié de son âge.

— Oui. Il est incapable de rester inactif.

— Je vais vous préparer un verre. Jim et moi, nous prenons généralement un verre à cette heure du jour.

Nora resta quelques minutes dans la cuisine. Elle revint avec deux verres à whisky contenant des cocktails garnis de cerises au marasquin et de tranches d'orange.

— Des manhattans. (Elle me tendit un verre.) D'habitude, nous prenons un whisky-soda, mais zut alors, vous êtes notre invité ! Je me suis dit que je pouvais me permettre un petit caprice.

Nous passâmes au salon pour siroter nos cocktails sur le canapé de style navajo. Je ne savais que dire à cette fringante petite golfeuse. Et tout à l'heure, j'aurais encore moins à dire à mon père. Je commençais à regretter d'avoir entrepris ce voyage.

— Je suis si heureuse de faire enfin votre connaissance! Nous nous sommes manqués, au mariage.

— Je n'étais pas invité, dis-je par réflexe.

— Oh, vous n'avez rien perdu, répondit-elle, très vite. Ce n'était pas grand-chose. Quelques vieilles badernes de par ici, pas de famille pour ainsi dire.

Elle appartenait à cette génération à qui l'on a appris qu'il fallait être poli, quelles que soient les circonstances. Nous nous regardâmes pendant un moment, embarrassés.

— Vous avez des enfants? m'enquis-je. Est-ce que j'ai des frères et sœurs par alliance?

Elle secoua la tête.

— Oh, non. Je m'occupais trop de ma carrière pour y penser. De mon temps, une femme qui tenait à sa carrière ne pouvait avoir des enfants.

— Que faisiez-vous?

— J'ai commencé comme acheteuse en équipements sportifs chez Abraham & Straus, de New York. À la fin, je possédais la moitié d'une chaîne de boutiques de sport, dans le New Jersey et l'État de New York. *Au Monde du Sport de Sporty*, ça vous dit quelque chose? Nous avons été rachetés par Herman's à la fin des années quatre-vingt. Ça nous a rapporté un joli magot.

— Bravo! Vous étiez mariée? Avant, je veux dire.

Son sourire frivole s'effaça un instant.

— Mon Dieu, vous posez de ces questions...

— Pardonnez-moi, je ne voulais pas être indiscret.

Elle marqua un arrêt et but une longue gorgée de son manhattan.

— J'ai été mariée, à New York, pendant près de vingt ans. (Elle posa son verre sur la table basse à dessus de marbre.) Un photographe. Il se considérait comme un artiste. Mais je dois dire que je n'ai jamais aimé son travail. Trop déprimant, des photos d'immeubles incendiés, des pauvres gens. En tout cas, c'était moi qui faisais bouillir la marmite. Je payais les factures, je m'occupais du ménage et je faisais la cuisine... Tout cela après une journée de douze heures de travail. Finalement, il a enseigné la photographie à l'université de New York. Puis il a fait ce que font tous les professeurs à l'approche de la cinquantaine.

— C'est-à-dire?

Elle eut un petit sourire crispé.

— Il s'est mis à coucher avec ses étudiantes.

— Ah, murmurai-je, et j'enfonçai le nez dans mon verre.

— Mais je dois dire que nous étions aussi responsables l'un que l'autre. Nous ne cherchions pas la même chose. Un couple se compose de deux personnes, vous savez.

— Oui.

— Il voulait des enfants, je n'en voulais pas. Vers l'âge de trente ans, par négligence, je me suis retrouvée enceinte. Je me suis fait avorter. Je ne le lui ai même pas dit. Je suis persuadée que les femmes doivent avoir le droit de choisir.

— Et maintenant? demandai-je en pensant au diaphragme dans le cabinet de toilette. Des enfants, dans un avenir proche?

— Oh mon Dieu... (Nora eut un rire sec, sans joie.) Je suis beaucoup trop vieille.

Quelques secondes plus tard, elle vida son verre et monta prendre une douche. Je saisis le *Wall Street Journal* dans le panier posé près du canapé. Mais quelque chose dans cet appartement — les bibelots trop soigneusement disposés, la cuisine immaculée, la lumière crue jaillissant du balcon — me mettait mal à l'aise. Je me levai et sortis par la porte de devant. Je marchai sans but précis dans les rues désertes du domaine du Désert Peint. Inévitablement, je finis par me retrouver sur le sentier de brique qui longeait le terrain de golf. Je trouvai un banc à l'ombre d'un tamarinier.

Tout en observant les derniers golfeurs de la journée, je pensai à une anecdote que m'avait racontée Caterina. Le doge Enrico Dandolo, aveugle, était âgé

177

de quatre-vingt-huit ans lorsqu'il avait mené l'assaut victorieux des Vénitiens contre Byzance, en 1204. On lui avait donné une épée, on l'avait tourné vers la proue de sa trirème, et il avait surmené son navire pour arriver le premier sous les remparts ennemis. Caterina connaissait des tas d'anecdotes sur l'histoire de sa ville. L'endroit où je me trouvais n'avait aucune histoire à raconter. La seule histoire, ici, c'étaient quelques décennies dérisoires pleines de mariages brisés et de carrières en bout de course que des gens venus d'ailleurs apportaient avec eux.

Deux couples jouaient au douzième trou à une centaine de mètres de moi. Leurs clubs scintillaient sous le soleil de l'après-midi, rouges comme l'épée de l'aveugle Dandolo trempée dans le sang des Byzantins. Les ombres des grands cactus s'allongeaient sur l'herbe coupée court. Le ronronnement anémique des carts flottait comme un murmure porté par le vent.

31

Les boutons dorés de son blazer bleu portaient l'insigne de West Point, avec le casque et le sabre. Mon père l'avait enfilé par-dessus sa tenue de golf, et il avait troqué ses brodequins contre des mocassins de daim qu'il portait sans chaussettes. Ce serait son seul compromis avec l'habit de dîner. Nora nous donna de quoi préparer nos whiskies-soda et nous laissa seuls. Nous sortîmes sur le balcon, où nous n'aurions pas à subir l'embarras de nous retrouver face à face.

Les fenêtres éclairées des appartements, de l'autre côté du terrain de golf, projetaient leur lueur jaune sur la lumière vespérale, azurée, du désert. Je sentais le laurier-rose, la créosote et l'odeur âcre de la mescaline. Le temps de deux cocktails, nous nous contentâmes d'échanger des banalités. Il m'interrogea sur Venise. Une ville magnifique. Je l'interrogeai sur son golf. « Il s'améliore. Je travaille sur ma tendance à slicer la balle vers la droite. » Il m'apprit qu'ils avaient invité quelques amis à dîner. « J'espère que ça ne te dérange pas. — Bien sûr que non. Je me réjouis de faire leur connaissance. »

Nous restâmes silencieux pendant plusieurs minutes.

Les traiteurs — deux Mexicains maigres en veste rouge — arrivèrent avec nos plats, des Sterno, et des chauffe-plats. Nora ne cuisinait pas. Ce n'est pas le genre de talent qu'on entretient facilement quand on fait carrière dans les équipements sportifs. Pour l'heure, elle s'affairait à disposer la nourriture sur le buffet et à allumer les Sterno.

— Tu ne m'as même pas dit que tu te mariais, papa, observai-je tout en suivant des yeux Nora à travers la baie vitrée.

Elle avait des mouvements précis, efficaces. Elle semblait ne jamais faire un geste inutile.

— Ce n'était qu'une formalité. Nous vivons ensemble depuis pas mal de temps. Je ne voyais pas l'intérêt de te faire revenir de Venise.

— Mais j'aurais été heureux de le savoir à l'avance, insistai-je. J'aurais pu t'envoyer quelque chose, un cadeau de mariage. Quelque chose d'Italie. Tu es mon père, merde !

Il s'éclaircit la gorge bruyamment. C'était un signal que je connaissais bien. Sa manière de changer de sujet lorsque la conversation l'indisposait.

— Et toi, comment va ton amie ? reprit-il. Comment s'appelle-t-elle... Cynthia ? Une fille bien. Un beau parti. Quelles sont vos intentions ?

Il avait rencontré Cynthia lorsqu'il était venu sur la côte Est, deux ans plus tôt. Elle lui avait tout de suite plu, comme lui plaisait n'importe quelle jolie fille sans cervelle.

— Nous ne nous voyons plus.

— Tu plaisantes ? C'est toi ou elle ? Ou est-ce que je n'ai pas le droit de savoir ?

— C'est moi, dis-je d'un ton calme.

— Nom de Dieu, mais pourquoi ?

— Ça ne marchait pas, tout simplement.

Il secoua la tête.

— Toujours cette foutue stupidité. Tu aurais dû te cramponner à elle, tenir bon. Mais tu n'en as jamais été capable.

Ses remarques devenaient insultantes.

— Je ne te dis pas ce que tu dois faire de ta vie,

ripostai-je en élevant la voix. Ne me dis pas ce que je dois faire de la mienne. Reste à l'écart de ça.

Je regrettai tout de suite d'avoir répliqué si brutalement, mais c'était trop tard. Nous nous retrouvions au même point que d'habitude, et notre aversion réciproque était suspendue entre nous comme de l'air empoisonné.

— Je n'aime pas qu'on me parle sur ce ton sous mon propre toit ! Tu sais ce que l'armée m'a appris ? Le respect...

Mon père était sur le point de se lancer dans l'une de ses homélies habituelles — comment mon refus de me présenter à West Point, ou même au VMI ou à la Citadelle, puis de m'engager dans la carrière militaire, avait ruiné à jamais ma personnalité. Mais après avoir subi l'académie Saint-Albert pendant sept ans, mon seul objectif avait été de fuir le plus loin possible de l'armée. Quand j'avais choisi Saint-John — « un zoo plein de rats de bibliothèque pédés », comme il appelait ce vénérable bastion des arts libéraux —, il s'était fâché tout rouge et n'aurait pas hésité à me couper les vivres s'il en avait eu les moyens. Par bonheur, ma mère avait fait transférer quelques obligations à mon nom pour payer mes études, en anticipant justement un conflit de ce genre.

— L'armée ? (Je l'interrompis, cette fois, et je chargeai le mot de tout le mépris dont j'étais capable.) Soyons sérieux, papa ! Nous ne sommes plus au XIXe siècle ! L'armée, de nos jours, c'est pour les perdants antisociaux et les crétins qui ne savent rien faire d'autre ! En dix ans comme FX *trader*, j'ai gagné plus d'argent que toi en trente ans d'armée !

Il détestait entendre cela, mais personne, en Amérique, ne peut réfuter l'argument de l'argent. Dans un éclair de lucidité, je compris soudain que si j'avais choisi la Bourse, c'était avant tout pour faire mieux que lui. Si j'étais incapable de le dépasser sur le terrain de la dureté, je le ferais au point le plus fragile : son compte en banque.

Mais il avait trouvé un nouvel angle d'attaque.

— Non, tu as raison, reprit-il. Tu étais trop faible pour l'armée. Je l'ai toujours su. Toujours à pleurnicher, toujours en train de pleurer pour une chose ou l'autre. Quand tu étais bébé, déjà...

— Tous les bébés pleurent, papa. C'est naturel.

— Et quand ta mère est morte... commença-t-il, puis il s'arrêta.

Mon poing se crispa sur mon verre, si fort que je sentis qu'il allait se briser.

— Ne me parle pas de maman, dis-je en serrant les dents. C'était une honte.

Il pivota vers moi.

— Qu'est-ce que tu insinues ?

— Tu ne te rappelles pas ? Tu m'as empêché d'aller à son enterrement ! Tu m'as obligé à rester dans cette saloperie de Saint-Albert, sous prétexte d'une saloperie d'examen !

Il avait le visage cramoisi.

— Primo, hurla-t-il, on ne parle pas ce genre de langage chez moi !

À ce moment, Nora passa la tête par l'entrebâillement de la baie vitrée.

— Chut ! Calmez-vous, les hommes, nous attendons des invités !

Puis elle se retira. Nous gardâmes pendant quelques secondes un silence tendu.

— Je pensais que ça valait mieux pour toi, reprit-il d'une voix adoucie. Je pensais que tu ne supporterais pas de voir ta mère jetée dans la tombe. J'étais persuadé que tu allais t'effondrer et que tu ferais une scène. Je ne voulais surtout pas affronter cela.

— Tu sais ce qu'est une conclusion, papa ?

— Quoi ?

— Une conclusion. Mettre une fin, faire la paix avec les tragédies de la vie. Ce genre de chose. C'est à cela que servent les funérailles.

— Ne fais pas le malin avec moi !

Je levai les mains, d'un mouvement si brusque que

182

mes glaçons furent projetés sur le patio des voisins, au-dessous. Une étroite bande de lumière rougeoyait encore à l'ouest. Le calme du désert était si palpable que je le sentais sur ma langue, comme du sable fin. Le ciel noir au-dessus de la montagne était une toile de fond sur laquelle on avait peint des étoiles. Mon père et moi avions envie de nous dire des choses, peut-être d'échanger des excuses. Mais nous restions muets tous les deux. C'était impossible.

— Tu sais qu'Elizabeth est morte, dis-je enfin.

Mon père dressa l'oreille.

— Qui est Elizabeth ?

— Tu sais bien, la chatte. Celle de maman.

Il resta pensif un moment.

— Tu veux dire que cette vieille chose vivait encore ?

— Jusqu'au mois d'août dernier. J'ai dû la faire piquer. Je partais, je ne pouvais pas l'emmener à Venise avec moi, et je ne voulais pas la mettre en pension pendant six mois.

Il haussa les épaules.

— Ce n'était qu'un chat. Il y a des tas d'autres chats dans le monde.

— Non. C'était celui de maman.

— Il faudrait que tu apprennes à être moins senti-mental. J'ai été soldat. J'ai laissé d'excellents amis derrière moi, sur les champs de bataille, dans le monde entier. Il faut apprendre à ne pas regarder en arrière.

— Tu te trompes, lui dis-je. Parfois, il faut regarder en arrière. Parfois, c'est même le plus important. Si on ne regarde pas en arrière, on n'est plus capable d'aller de l'avant.

Mon père soupira. Il se prépara un autre whisky-soda.

— Comme d'habitude, tu parles pour ne rien dire. Regarder en arrière, aller de l'avant ? Merde, je ne sais pas ce que tu racontes.

— Je parle d'histoire personnelle, papa. Je parle de maman. Nous n'avons jamais vraiment parlé d'elle,

183

n'est-ce pas ? Elle voulait un autre enfant, et tu ne voulais pas. Commençons par ça. Elle m'en a parlé dans une lettre, quand j'étais à Saint-Albert. Elle voulait une fille, tu as refusé... C'est pour cette raison qu'elle a pris Elizabeth. Quel était le problème ? Pourquoi ne voulais-tu pas d'autres enfants ?

— Je refuse catégoriquement de poursuivre cette conversation. Ta mère est morte. Il n'y a plus rien à faire.

— Eh bien, moi, je peux parler d'elle !

J'avais pris le ton d'un gamin de cinq ans trop gâté.

Mon père posa son whisky sur le plateau et s'appuya en arrière, contre la balustrade du balcon. Même dans le noir, les bunkers en bas luisaient d'un blanc sinistre comme s'ils retenaient encore la lumière du jour.

— Bien... Tu veux connaître la vérité à propos de ta mère. Ça ne va pas te plaire. Depuis le début, c'était une erreur. Nous n'étions pas faits l'un pour l'autre. Elle était fragile, elle venait d'une famille qui avait de l'argent et n'avait jamais dû travailler pour obtenir quoi que ce soit. Je l'avais rencontrée à un bal, au club des officiers de Belvoir. Je vais te donner un conseil. N'épouse jamais une femme que tu as rencontrée à un bal, n'importe quel bal. La première impression persiste, bon Dieu, c'est fatal. Il te faut trop de temps par la suite pour les imaginer autrement que la première fois — dans leur robe de bal de satin noir, avec leur maquillage et leurs perles... Quand elle est morte, nous étions sur le point de divorcer. Je pense que tu ne le savais pas.

— Si, je le savais.

— Et tu veux savoir autre chose ?

Il pivota, furieux — peut-être parce qu'il était forcé de se souvenir —, et agita un doigt vers moi.

— Toi aussi, tu étais une erreur ! Un soldat ne devrait pas se marier avant d'avoir l'âge que j'ai aujourd'hui ! Un soldat ne devrait jamais avoir d'enfant ! Ta mère était enceinte quand nous nous sommes mariés. Jette un coup d'œil sur ton certificat de naissance et compte les mois. Il y a des femmes qui sont incapables de garder leur culotte!

J'eus envie de frapper le vieux salaud au visage. Mais je me retins. Je lui rendais cinq bons centimètres, et j'étais plus lourd que lui, mais même à soixante-quinze ans, il était sans doute capable de m'avoir. Dans l'armée, on lui avait appris cent manières différentes de tuer un homme à mains nues.

— Tu as raison, dis-je quand je fus capable de parler calmement. Peut-être maman était-elle une erreur. Peut-être étais-je moi-même une erreur. Mais tu ne remontes pas assez loin dans le temps. Remontons les générations, en partant de toi, cette fois. C'était toi, l'erreur originelle, papa. Une énorme, une foutue erreur. Le monde se serait beaucoup mieux porté sans toi. Il eût mieux valu que *votre* mère avorte avant de vous mettre au monde, *monsieur*!

Son visage se rembrunit. Pendant un moment, je crus que nous allions en venir aux mains. Mais il ne me frappa pas, et je ne le frappai pas. Nous étions trop civilisés pour cela. Il grogna et franchit la baie vitrée. Il alla aider sa nouvelle épouse à dresser la table pour le dîner.

32

Deux retraités, golfeurs, amis de mon père, et leurs épouses, retraitées et golfeuses, nous rejoignirent pour dîner. Arthur Stevenson était un ancien cadre de Northwest Airlines à Minneapolis. William Drake était un ancien agent immobilier new-yorkais. Il était toujours actif dans la transformation du désert de la région de Tucson en lotissements de bungalows pour retraités, protégés par de hautes enceintes. Kate et Nancy, leurs épouses respectives, étaient bronzées et bien conservées. L'une et l'autre avaient une quinzaine d'années de moins que leur mari. Tout le monde — sauf moi — était en tenue d'après-golf : polos de couleurs vives, pantalons kaki, chaussures légères sans chaussettes. J'avais l'impression d'être le seul, dans tout le domaine du Désert Peint, à boutonner ma chemise jusqu'au col et à porter des chaussettes dans mes mocassins.

La nourriture mexicaine livrée par les traiteurs — *enchiladas* de bœuf caoutchouteux, *chiles rellenos* flasques, haricots rouges et riz desséchés — n'était pas bonne, et son séjour prolongé dans les chauffe-plats lui donnait un goût métallique. Les margaritas de Nora, en revanche, préparées comme il faut avec du jus de citron vert frais, du Cointreau et du Cuervo 1800, et servies glacées dans des verres salés, avaient le goût qu'on pouvait en attendre. J'en bus plusieurs et je touchai à peine à mon assiette. Par-dessus le bord salé de mon verre, j'observais Stevenson, Drake et leurs femmes qui mâchaient leurs coriaces *enchiladas* avec leurs dents couronnées à prix d'or. La conversation laissa la place aux bruits de mastication. Mon père et moi évitions de nous regarder en face.

— Difficile de croire que c'est Noël, dit la femme de Stevenson entre deux bouchées. Depuis que je vis ici, la neige est la seule chose qui me manque.

— Oui, fit la femme de Drake, ce serait agréable de voir un Noël blanc.

— *Juste comme ceux que j'ai connus jadis*, entonna Stevenson dans un baryton gazouillant, *où... quelque chose brille et les enfants écoutent...*

— *... le tintement des clochettes dans la neige*, dit Nora en écho.

— Bon Dieu, il n'y a pas de clochettes par ici, dit mon père. En ce moment même, il fait 24 °C. C'est l'endroit le moins indiqué pour Noël.

— Toutes ces histoires, les clochettes, les sapins, la neige, ce n'est que du folklore, fis-je pour le plaisir de le contredire. En vérité, le climat de l'Arizona est très proche de celui du vrai Noël. (J'étais incroyablement saoul, tout à coup, et j'avais l'élocution pâteuse. Ces margaritas étaient dangereuses.) Non, vraiment, pensez à Bethléem. Le Proche-Orient est très aride. Le paysage n'est pas très différent de celui d'ici.

Mon père me jeta un regard mauvais, de l'autre côté de la table, et pour la première fois depuis mon arrivée, nous nous regardâmes dans les yeux pendant plus d'une seconde. À ce moment, je vis que quelque chose clochait. Comme pour Warren, mais c'était autre chose. Ce n'était pas l'image de la tombe, mais des tissus rouges et gonflés, que recouvrait une fine couche de mucus malsain. Ce bref éclair fit bouillonner dans mon estomac les margaritas et les scotches que j'avais bus plus tôt dans la soirée. Je posai mon verre sur la nappe, réprimant un haut-le-cœur.

— Papa... articulai-je. Tu es malade.

Il me regarda en plissant les yeux.

— Qu'est-ce que tu racontes ?

Mais sa lèvre inférieure tremblait un peu.

— Tu ne vas pas bien, Jim ? questionna Stevenson d'une voix inquiète.

Soudain, tout le monde cessa de mastiquer. Le spectre de la maladie fit passer un léger frisson de peur autour de la table. Les retraités ne redoutent rien tant que la menace d'une maladie grave, qui est le début du glissement inéluctable vers la tombe.

— Dis-le-nous, Jimmy, tu as un ennui ? demanda la femme de Drake, en s'éloignant un petit peu de mon père.

— Non, vraiment, je vais bien, répliqua-t-il d'un ton impatient. Et pour ce qui est de la maladie... c'est encore l'une de ces blagues que mon fils affectionne tant.

— La santé de votre père n'est pas un sujet de plaisanterie, me dit Nora.

Avant que j'aie le temps de répondre, Drake frappa légèrement la table, de trois doigts.

— Hé, attends une minute, dit-il à mon père. Est-ce que tu ne roules pas dans une Riviera neuve gris métallisé ?

— Si.

— Je me disais bien que c'était ta voiture. Je l'ai vue garée devant le cabinet du docteur Singh, l'autre jour. C'était bien la tienne, n'est-ce pas ?

Mon père semblait embarrassé. Nora posa sa main sur la sienne.

— Si Jimmy est allé chez le docteur Singh, je crois que ça ne regarde que lui. N'est-ce pas, Bill ?

Cette dernière phrase s'adressait à Drake, mais c'était moi qu'elle fusillait du regard.

— Si tu as des soucis, dit la femme de Stevenson, tu devrais en faire part à tes amis, ta famille. Surtout si c'est contagieux.

Mon père, gêné, avait les yeux fixés sur son assiette.

— Très bien, dit-il. Je me suis fait faire un check-up. Rien de grave. Rien du tout. Juste quelques examens.

J'appréciai à peine la consternation générale. J'avais une sensation bizarre au creux de l'estomac, un frisson me remonta derrière la nuque. J'avalai d'une gorgée le reste de ma margarita, pour tenir à distance cette impression atroce.

— Tu vas y retourner, repris-je un instant plus tard. Rien de sérieux encore, mais tu ferais bien, très bientôt, d'y faire attention.

Mon père me fixait du regard. Il semblait hésiter entre la colère et la stupéfaction.

— Bien, dit Nora. Maintenant, parlons d'autre chose.

Mais après cela, personne n'avait très envie de parler.

Un peu avant minuit, j'entendis frapper à la porte de la chambre d'amis où j'essayais de trouver le sommeil. Je quittai le canapé-lit dur comme le roc et allai ouvrir. Nora se tenait devant la porte, les mains dans les poches de son peignoir. Sans son maquillage diurne, elle avait les traits tirés, l'air abattue.

— Je viens de parler à votre père. Il est bouleversé.

— Ah?

— Tout ce qui concerne sa santé est confidentiel, n'est-ce pas? Nous serions heureux que vous gardiez pour vous ce que vous savez.

— Qu'est-ce qui se passe?

Elle me jeta un regard bizarre.

— Vous devriez le savoir, si vous avez parlé à son médecin.

— Non, je ne le sais pas.

Elle soupira.

— Le docteur Singh pense qu'il s'agit d'une crise bénigne de colite. Il a eu quelques hémorragies rectales. Nous attendons les résultats de la biopsie... (Elle hésita.) Ce pourrait être un cancer.

— Ce n'est pas le cancer, dis-je. Ne vous inquiétez pas. Dites à papa qu'il s'en sortira. Mais il doit changer son alimentation. Plus de viande rouge. En revanche, il doit manger davantage de céréales complètes, de légumes. Ce genre de choses.

Elle garda le silence pendant un moment embarrassant. Elle détourna les yeux, me regarda à nouveau. Je savais ce qui allait suivre.

— Il y a autre chose. Votre père et moi, nous avons discuté. Nous pensons que vous devriez vous en aller demain matin.

— Vous me jetez dehors trois jours avant Noël. C'est cela?

— Nous ne vous jetons pas dehors. Nous pensons simplement qu'il vaudrait mieux pour tout le monde que vous partiez le plus tôt possible. Votre père est bouleversé. Ces examens le rendent très nerveux, et vous l'avez terriblement contrarié. Vous ne vous conduisez pas bien avec lui, vous ne faites preuve d'aucun respect, et vous parlez à son médecin derrière son dos, sans motif. Vous voulez savoir ce que je pense? (Elle se pencha vers moi, et je pus sentir son haleine chargée.) Je pense que vous êtes un vrai petit salaud. Voilà ce que je pense!

Elle resta là un moment, tremblante, les mains sorties des poches de son peignoir, les poings serrés. J'imaginai une réponse appropriée, mais je m'abstins. Enfin, je hochai la tête avec lassitude. Ce voyage avait été une erreur. Certaines blessures du passé ne cicatrisent jamais, car elles sont trop profondément ancrées dans la substance même de nos âmes.

— Je prépare mes bagages tout de suite. Inutile de me conduire à l'aéroport. J'appellerai un taxi.

Une aube bleu pâle pointait au-dessus des links. Les sommets des Rincons se dessinaient, indistincts, contre le ciel livide. Bientôt l'obscurité se diluerait pour céder la place à une nouvelle journée, belle et lumineuse, dont la température oscillerait entre 26 et 28 °C. Les voyages aériens provoquent des télescopages troublants. Un jour, l'obscurité humide et glaciale de Venise. Le lendemain, le soleil éblouissant du désert de l'Arizona. Ce voyage aurait dû se compter en mois, pas en heures. Comme il serait mieux de traverser les océans au rythme du vent, de regarder défiler le paysage, un kilomètre après l'autre, de voir le pays se modifier jusqu'à ce que la destination soit en vue! On aurait plus de temps pour réfléchir, pour saisir les choses.

Après avoir fermé la fenêtre de la salle de bains, je me brossai les dents et me rasai. Puis, sur une vilaine impulsion, je sortis le diaphragme de Nora de son étui laqué noir dans l'armoire à pharmacie. Je dénichai une épingle de nourrice dans une boîte pleine de pansements, et je le perçai d'une série de trous minuscules. Je pris le tube de spermicide que je pressai complètement pour en expulser le contenu dans les toilettes. J'en écartai les parois avec un coton-tige, je le remplis de shampooing, après quoi je remis chaque chose à sa place. *On ne sait jamais*, dis-je à mon reflet dans le miroir, *tu peux encore avoir une petite sœur.*

Je m'habillai, avalai un peu de céréales dans la cuisine immaculée et descendis dans la rue, ma valise à la main, pour attendre mon taxi. Je m'assis sur le bord du trottoir avec le *Tucson Citizen* du voisin, dont je parcourus la page financière. Le yen montait par rapport au dollar, le mark descendait, le franc français était stable et la lire remontait. Les premiers arroseurs du matin tournaient déjà un peu plus bas dans la rue, et il me sembla entendre le léger ronronnement d'un cart. D'une façon ou d'une autre, simplement en les regardant dans les yeux, je pouvais dire si les gens étaient malades ou agonisants, même s'ils ignoraient eux-mêmes la vérité. D'où me venait ce terrible pouvoir, ce lien étrange avec la mort?

Mon père et ma belle-mère dormaient toujours dans la pénombre climatisée de leur chambre à coucher. C'était mieux ainsi. Je me dis que je ne les reverrais sans doute jamais, ni l'un ni l'autre.

33

En janvier, Venise est déserte. Un véritable tombeau. Le silence est tel que l'on entend presque le bruit des palazzi s'enfonçant dans l'eau noire, leurs pilotis s'effritant lentement après des siècles dans la vase froide et saumâtre de la lagune.

Aux *traghetti* de la Riva degli Schiavoni, les gondoles venaient cogner contre les palines, ces points d'amarrage rayés comme des sucres d'orge aux couleurs passées, leurs cockpits hermétiquement protégés par des bâches de toile huilée. La moitié des boutiques de la ville étaient fermées, rideaux baissés, ainsi que la plupart des restaurants. Les rares établissements restés ouverts ne servaient que le dîner, et seulement en début de soirée. Même la place Saint-Marc était déserte. Elle était livrée aux pigeons blottis les uns contre les autres, frissonnants, sous les arcades devant le Florian.

Les quelques semaines qui séparent le Nouvel An du début du carnaval sont la période la plus calme de l'année. Les habitants d'une ville qui vit du tourisme ne peuvent s'y livrer à leur tour que lorsque les touristes ne sont pas là, précisément. Tout Vénitien capable de s'offrir un billet de train est parti skier dans les Alpes. À qui s'étonne que tant de Vénitiens s'adonnent au ski, il suffit de rappeler que la saison des sports d'hiver bat son plein pendant le reflux de Venise, au moment où leur cité se transforme en ville fantôme.

Les couloirs de la banque Comparini, en ces tristes après-midi de janvier, résonnaient du bruit de mes pas. Les bureaux étaient sombres et déserts, l'immeuble n'abritant qu'une équipe réduite à quelques employés, une secrétaire et un agent de sécurité. Le pauvre Rinio, privé de sports d'hiver cette année à cause du bébé, venait deux ou trois heures le matin, deux jours par semaine. Il déplaçait de-ci de-là des papiers sur son bureau, passait quelques coups de fil à contrecœur. Même ses histoires d'amour, en cette saison désolée, étaient au point mort.

— Pourquoi te donner tant de mal? me dit-il un matin. Venise dort.

Il agita la main dans la direction de la fenêtre, vers les cieux menaçants, vers la brume chargée de pluie balayant les toits, vers les eaux lentes et grises, vides de tout bateau sauf un vaporetto isolé de temps à autre, vers le dôme blanc sans éclat de la Salute recouvert d'un voile indistinct.

— Oui, Rinio. Il se peut que Venise dorme, mais les marchés financiers ne dorment pas. Ils veillent jour et nuit, vingt-quatre heures sur vingt-quatre, trois cent soixante-cinq jours par an.

Il secoua la tête devant ce rappel désagréable.

— Quelle attitude déplorable! C'est pour cela que vous êtes si malheureux, vous, les Américains. Vous pensez trop à gagner de l'argent, et pas assez à des choses plus importantes.

— Plus importantes que l'argent? demandai-je, impassible. Quoi, par exemple?

— La nourriture, le vin. Les femmes...

Ce cynisme s'appuyait sur mille ans de philosophie italienne. Mais j'avais une carrière à sauver. Je passai les deux premières semaines de janvier à effectuer des transactions agressives, hurlant des ordres à des courtiers au téléphone, vendant des marks contre des yen, des lires contre des dollars et des francs belges contre des francs français, jusqu'à des heures avancées, longtemps après que la pénombre glacée était descendue sur les îles du Rialto. Il m'arriva même de retrouver, pendant quelques heures, un peu de mon enthousiasme d'antan.

Un après-midi, je réalisai un profit d'un demi-million pour la banque Comparini en spéculant à long terme sur le sterling alors que les *traders* vendaient à découvert. J'avais envie d'ouvrir une bouteille de champagne, mais je ne voyais personne, à Venise, qui pût me tenir compagnie. Rinio était occupé en famille et je n'avais plus de nouvelles de Caterina depuis plus d'un mois. Elle savait pourtant que je devais rentrer des États-Unis au lendemain du Nouvel An. Je m'abandonnai un moment à la panique. Mais cela passa. Caterina devait probablement faire du ski, avec tous les autres, à Pieve di Cadore, à Zuglio ou à Tolmezzo. Elle ne tarderait pas à se manifester.

Entre deux opérations de Bourse, je travaillais sur mon rapport de janvier. Je me disais qu'il promettait d'être le meilleur que j'aie jamais envoyé : une analyse approfondie des derniers événements, qui se concluait joliment sur un pronostic raisonné.

Les deux concurrents dans la course au pouvoir, l'Alliance pour la Liberté et le parti de l'Olivier, étaient toujours au coude à coude. Mais des fissures étaient apparues dans la nouvelle coalition de Berlusconi. Il était évident que Gianfranco Fini, le chef de l'extrême droite, prétendait assurer le leadership idéologique de l'Alliance pour la Liberté. Par ailleurs, la Ligue du Nord d'Umberto Bossi, grand pourvoyeur de votes dans les régions industrielles, avait lancé une offensive tous azimuts contre tout ce qui représentait un gouvernement central fort et tout ce qui évoquait le pouvoir romain — y compris Berlusconi et ses comparses. En face, l'Olivier était tout aussi divisé. Les marxistes du parti de la Refondation effarouchaient les électeurs modérés. Des rumeurs faisaient état de tensions fatales entre Romano Prodi et l'un de ses soutiens les plus importants : Massimo D'Alema, le leader du parti de la gauche démocratique, le PDS...

En bref, j'avais plus que jamais du mal à comprendre l'ensemble de la situation. Jusqu'au jour où je vis Prodi prononcer un discours à la télévision. Il se trouvait dans un cimetière de victimes de la Première Guerre mondiale, près de Monte Grappa, en Vénétie. Le vent des montagnes fouettait ses cheveux mal taillés. Il avait le visage rond et des lunettes. Il portait un pardessus bleu un peu râpé et un veston de vilaine coupe tirant sur le vert, ainsi qu'une cravate de cachemire rouge et jaune. Ses manières dénonçaient l'austérité de l'universitaire. Il n'avait ni l'aisance ni le charisme de Berlusconi. Mais il possédait quelque chose dont la politique italienne avait désespérément besoin. C'était ce qui manquait le plus à Berlusconi, malgré ses costumes sur mesure à cinq mille dollars et son sourire éclatant de milliardaire, ce que tout l'argent du monde ne pourra jamais acheter : il était sincère.

Les sondages donnaient toujours les deux partis à égalité. Mais désormais mon instinct me poussait vers la gauche. *Bien que l'Italie n'ait jamais été dirigée par un gouvernement de gauche depuis 1945,* notai-je dans mon rapport, *et bien que les caprices de la vie politique italienne rendent impossible, à ce stade, l'établissement d'un pronostic sûr, il me semble que l'humeur du pays est favorable à un changement radical...*

Je l'expédiai tôt : le 10 janvier. Pendant cinq jours, je ne reçus aucune réaction de Washington. Je passais tour à tour du doute et de l'angoisse à une attitude de défi. Si Warren n'aime pas mon rapport, qu'il aille se faire foutre, me disais-je. Dans ce cas, je l'enverrais à l'*International Herald Tribune*, qui le publierait comme analyse d'actualité. Puis je reçus un coup de fil de Ramona Fielding. Cette fille intelligente et fine, fraîche émoulue de Vassar, était la nouvelle assistante de Warren. La précédente avait quitté la boîte en disgrâce, au milieu de rumeurs de harcèlement sexuel. Une liaison qui avait mal tourné.

— Je pense que vous ignorez ce qui se passe ici, Jack, me dit-elle quand je lui parlai de mon rapport. J'ai bien peur que personne ne lise rien du tout. De fait, j'ai de très mauvaises nouvelles. C'est d'ailleurs la raison de cet appel.

Mon estomac se contracta.

— Il s'agit de Warren. Il a été hospitalisé quelques jours avant le Nouvel An. Diagnostic : cancer de la lymphe, au stade préterminal. Apparemment, il n'y a rien à faire. Pour le moment, il n'avale rien d'autre que des calmants. Ça n'augure rien de bon.

Je restai silencieux, le temps d'assimiler la nouvelle. Je le savais depuis notre rencontre à Milan. Mais voir ainsi mon pressentiment se vérifier, cela me causait un choc.

— Ça va, Jack ?

— Oui, ça va.

— Je crois savoir... (Elle hésita un peu.) Je crois savoir qu'il était votre ami ?

Ramona était jeune, elle venait de débarquer. Mais elle avait déjà compris que dans ce boulot les vrais amis n'existent pas.

— Oui, c'était mon ami.

— Il est à Sibley. Je peux vous donner l'adresse, si vous avez envie d'envoyer une carte. Et si vous voulez, je peux lui faire expédier des fleurs de votre part.

— Oui, je vous en prie, c'est une bonne idée.

— Le projet *Lire* est donc en suspens pour le moment : on m'a demandé de vous en informer. Warren était personnellement responsable de l'ensemble du dossier, vous le connaissez, il a toujours détesté déléguer son autorité. En tout cas, il rendait compte directement au conseil de Comparini International, sans intermédiaire et sans support. Jusqu'à ce qu'on ait nommé quelqu'un à sa place, vous resterez livré à vous-même, là-bas. Ça ne devrait pas être trop long, quelques semaines, un mois peut-être. Ils veulent que vous ne bougiez pas. Je crois savoir qu'on pense à Ted Bulley pour reprendre le dossier là où Warren l'a laissé. Sur sa recommandation. C'est une des dernières choses qu'il a faites avant de partir.

Quelques minutes plus tard, après avoir raccroché, je contemplai par la fenêtre le ciel gris de Venise. Warren. Pauvre type. Il avait toujours été si dur et si fort, increvable, toujours prêt à botter le cul des gens pour le plaisir de leur botter le cul, toujours prêt à imposer sa volonté à ses subordonnés plus faibles de caractère. La mort allait être brutale. Et qui le pleurerait ? Ses collaborateurs, sa femme, ses assistantes (avec qui il couchait parfois) ? Sa femme, peut-être, mais pas longtemps. Elle était jeune, elle se remarierait. Il n'y avait pas d'enfants, ils n'avaient jamais eu le temps.

On pouvait le prendre en défaut pour beaucoup de choses, mais pas sur son énergie ou son dévouement au travail. Durant toutes ces années, depuis que je le connaissais, il ne s'était jamais accordé plus d'une semaine de repos, jamais plus d'une journée d'arrêt maladie. Et il est sûr qu'aucune pensée de mort n'avait jamais ralenti sa course en avant. Mais pouvait-on le blâmer pour cet aveuglement ? Lequel d'entre nous accorde la moindre pensée à la mort ? Le Prozac est là pour ça. Entre-temps, un barrage cède dans les montagnes sans soleil au-dessus de Disneyland et une gigantesque muraille d'eau s'abat à une vitesse foudroyante. De l'eau noire, chargée des milliards d'âmes qui n'ont jamais vécu. Et personne ne lève les yeux. Ni Warren, ni moi. Et personne ne voit l'ombre qui s'allonge sur le sol.

Je quittai mon bureau assez tôt pour aller boire quelques verres au Mocenigo et avaler un morceau de poulpe au vinaigre. C'était un des rares endroits de la ville qui travaillaient normalement, parce que ses habitués ne pouvaient se permettre de passer le mois de janvier sur les pistes alpines. Les hommes des péniches et les pilotes des *traghetti* s'appuyaient sur le comptoir. La fumée de leurs cigarettes montait vers le plafond tapissé de papier alu et formait des nuages aux formes fantastiques. Je me laissais bercer par les rires et les conversations. J'essayais de réfléchir à la situation, d'imaginer ce que je deviendrais quand Bulley prendrait la place de Warren. De deviner ce que le conseil déciderait de faire de moi. Mais je n'étais capable que de penser à Caterina.

On avait accroché derrière le bar une carte jaunie de Venise et de la lagune, encadrée par des raisins de plastique poussiéreux. Je n'avais toujours aucune idée de l'endroit où elle vivait. Quelque part dans la lagune, mais pas à Chioggia, ni Burano ni Mazzorbo. Où, alors ? Je plissai les yeux, étudiant le plan en quête d'un indice. La lagune était pleine d'îles, plus d'un millier en tout. La plupart n'étaient pas desservies par les lignes principales du vaporetto. Elles n'étaient même pas habitées. Cette piste ne menait nulle part.

Je payai mon vin et regagnai mon hôtel par les rues désertes. Ma suite était froide et sombre. Je restai assis un quart d'heure dans le salon sans lumière, dans un fauteuil à haut dossier. Je n'avais pas quitté mon pardessus. Je sentais le froid s'infiltrer dans les vieux sols de marbre et remonter dans mes semelles. La pendule faisait entendre son tic-tac sur le manteau de la cheminée, un robinet gouttait dans la salle de bains. Peut-être était-ce déjà fini, avec Caterina. Je ne la reverrais peut-être plus jamais, et cela se terminerait ainsi, dans l'incertitude. Sans que je sache pourquoi. Sans que je sache rien d'elle. Non ! Je me dressai soudain avec un sursaut. Pendant un moment, la pièce sombre sembla illuminée, comme si une ampoule de bande dessinée venait de s'allumer au-dessus de ma tête. Je savais comment la retrouver. Bien sûr ! C'était facile.

Et quand je l'aurais enfin trouvée, quand je frapperais à la porte de la maison de son père, vêtu de mon meilleur costume classique rayé et de ma plus belle cravate de soie, je lui apporterais une douzaine de roses d'hiver — rouges, pour exprimer la force de mon amour. Et dans un petit étui de velours, j'aurais une bague avec un gros diamant bleu pour montrer la sincérité de ma foi en notre bonheur. Et je lui demanderais sur-le-champ d'être ma femme.

34

Le chat pelé au museau aplati traversa le campo San Canciano d'un pas résolu et s'en fut dans la direction du Rio dei Mendicanti. Je ne pouvais en être sûr, mais il avait probablement le goût de l'errance et les mêmes yeux jaunes méfiants que tous les chats de Venise. Ils sont d'une espèce particulièrement secrète, endurcis par la vie urbaine, et ils n'aiment point trop qu'on les suive. L'astuce consistait à se tenir le plus près possible d'eux. Mais pas trop. Trop près : le chat s'engouffrait dans l'égout le plus proche ou disparaissait dans un passage fermé par une grille. Trop loin, et je le perdais dans l'ombre et la nuit du petit matin.

Le chat s'arrêta une première fois pour se gratter le derrière, en quête d'une puce. Puis une seconde fois pour boire à une flaque d'eau. Je me dissimulai dans un coin sombre et j'attendis en retenant mon souffle. Il leva la tête, les oreilles dressées, flaira le vent puis se remit en route avec un mouvement dédaigneux de la queue. Je parvins à rester sous le vent sans me faire repérer, à trente mètres de lui, pendant dix minutes. Mais ce chat n'était pas très méfiant. Il évitait l'ombre plus sûre des palazzi et préférait marcher franchement au milieu de la rue. Il se comportait comme un chat sur le chemin d'un bon repas avec quelques amis, et il ne se préoccupait pas de savoir qui était au courant. Cette attitude, plus que tout le reste, en faisait le candidat idéal. Après avoir filé des chats pendant une semaine aux petites heures, je pensais en effet être capable de faire la différence entre un chat qui sait où il va et un chat qui ne va nulle part.

Il allongea soudain le pas et s'engouffra dans le dédale des bâtiments trapus qui s'élèvent juste de l'autre côté des Mendicanti. Je le perdis de vue pendant quelques secondes, puis j'aperçus le vague reflet de sa fourrure miteuse, un peu plus loin, sous un lampadaire isolé. Les rues étaient sombres, sans nom. Se perdre à Venise la nuit, c'est être atteint de la cécité des neiges : on voit partout les mêmes canaux stagnants et, de chaque côté, les mêmes palazzi délabrés.

Je me dis que je me trouvais quelque part au nord de la place Saint-Marc, non loin de San Zanipolo, cette grande église où sont ensevelis les doges de Venise, où leurs os tombent en poussière dans des sarcophages ornementés. C'est là aussi, dans un minuscule cercueil de marbre rose, que gît (pliée aussi soigneusement qu'un napperon) la peau du grand amiral Bragadin, celui-là même qui a donné son nom à mon hôtel. À l'issue de la défense courageuse et désespérée de Famagouste, à Chypre, Bragadin s'était rendu au commandant turc Lala Mustafa, après avoir reçu sa promesse que ses hommes et lui seraient épargnés et qu'on leur permettrait de regagner Venise. Mais ses hommes furent massacrés sur-le-champ. On le tortura longuement, pendant des jours, puis on l'écorcha vif. Sa peau, tannée et empaillée, fut expédiée à Constantinople comme un macabre trophée de guerre. Plus tard, elle fut volée par des agents secrets vénitiens qui s'étaient fait passer pour des traîtres au bénéfice de la Turquie. Ils la rapportèrent à Venise, pour qu'elle repose à l'abri des murs épais du Zanipolo.

— Il y a une leçon à tirer du sort de ce pauvre Bragadin, m'avait dit Caterina après m'avoir relaté ce terrible épisode. Il ne faut jamais, jamais, se fier à un Turc.

Le chat s'était arrêté. Il pointait son museau plat

vers la lune à son déclin. Le décor m'était familier. Il me semblait reconnaître ces murs penchés et noirs de suie, le canal envasé un peu plus bas, la vague odeur de pourriture qui empestait l'air. J'entendis au loin un grondement sourd, comme si tous les chats du monde ronronnaient de conserve. Je sus que j'étais arrivé. Je sortis de ma cachette dans la pénombre et me lançai en avant. Quand il me vit, le chat fit un bond et lâcha un cri scandalisé.

— Ouste! m'écriai-je. À partir d'ici, je connais le chemin.

Le chat fit le gros dos et souffla dans ma direction, l'oreille basse. Je tapai du pied et il détala.

En fait, mon triomphe était prématuré. Il me fallut encore dix bonnes minutes pour y arriver, sans cesser d'entendre le ronronnement collectif. Après une série de détours par des impasses et un faux pas sur un petit pont qui faillit me faire perdre la piste une fois pour toutes, je tournai à gauche deux fois de suite pour me retrouver exactement au même point que cinq mois plus tôt : dans l'ombre, à l'entrée du campo dei Gatti.

Des centaines de félins étaient rassemblés sur le pavé inégal. La porte de la chapelle Renaissance était toujours fermée au verrou. Le puits délabré était recouvert à jamais de sa grille rouillée. Et là, au milieu de toute cette fourrure, une femme vêtue d'un domino noir étalait sur le sol des paquets de papier journal pleins de déchets de nourriture. Je résistai à la tentation d'aller vers elle, de prendre son visage entre mes mains et de lui faire ma déclaration. Non, je savais désormais où la retrouver, chaque nuit. Je voulais découvrir où elle habitait. Je voulais la surprendre chez son père !

Je l'observai en silence. Les chats affamés se frottaient contre ses jambes. Quand elle eut fini d'étaler les déchets, elle s'assit sur la margelle du puits. En un instant, ses genoux se couvrirent de chats. Elle caressait leur poil. Ils se frottaient à son dos, à ses cuisses, et deux d'entre eux grimpèrent même sur ses épaules. Elle se mit à chanter. C'était un air lent et mélancolique qui semblait en harmonie avec leurs cris gutturaux. Elle resta ainsi une bonne heure au milieu de ses chats, le visage pâle, impassible. Elle chantait, s'interrompait parfois, emportée dans une sorte de transe inspirée par les chats, jusqu'à ce que les premières traînées de l'aurore apparaissent à l'est. Elle se leva brusquement et chassa de la main, comme autant de boules de fourrure, les chats qui se trouvaient sur ses genoux. Puis elle se dirigea très vite vers l'autre extrémité du campo.

Je me dis qu'elle serait plus facile à filer que le matou de tout à l'heure. Je n'eus aucun mal, en tout cas, à deviner où elle allait. Elle se rendait aux Fondamente Nuove, pour attraper le premier vaporetto au départ vers la lagune. Si les passagers étaient assez nombreux, je devais pouvoir me glisser à bord sans me faire remarquer, et la suivre jusque chez elle. Dans le cas contraire, le numéro de la ligne me donnerait une idée assez précise de sa destination. Et ce n'était que la première étape.

Je la suivis à distance respectable, attentif à ne pas racler mes souliers sur le pavé. Caterina semblait ignorer totalement qu'elle était suivie. Elle ne regarda pas une seule fois par-dessus son épaule. À l'espionner ainsi, je me sentis un peu minable, et l'espace d'un instant, je sentis vaciller mon désir d'en savoir plus sur elle. Et si elle était mariée, en dépit de toutes ses dénégations ? Mariée et affublée d'un mari jaloux ? Et si elle était nonne, ou lesbienne ? Et si elle était mère de dix enfants ? Je m'en fichais. Quoi qu'il en soit, il fallait que je sache.

Après avoir repassé les Mendicanti, nous avons marché vers l'ouest en suivant une série de ruelles très étroites, et nous avons débouché derrière l'église des Jésuites. Je marquai une pause à l'abri de ce monument baroque. Caterina tourna soudain à droite, vers les Fondamente Nuove. J'attendis une ou deux minutes. Les Fondamente étaient bien éclairées, et exposées sur toute leur longueur. Si jamais elle se retournait, elle me verrait de loin. Je devais attendre qu'elle ait pris de l'avance. Je guettai le bon moment, inspirai à fond et me lançai à ses trousses.

Une lumière grise éclaira le ciel à l'est, au-dessus de la ville. Mais de l'autre côté, l'horizon était encore plongé dans l'obscurité. Des nuages noirs menaçants roulaient dans la nuit au-dessus des murs de l'île-cimetière, chevauchant la houle comme un navire à l'ancre. La lagune n'avait pas l'air commode, ce matin-là. Des vagues d'un mètre de haut frappaient les piliers. Quelques embarcations solitaires, désarmées pour la saison, étaient amarrées à de lourds anneaux d'acier fixés dans le bois goudronné et détrempé. Un seul appontement de vaporetto montrait quelque animation. Tous les autres étaient déserts. Une trentaine de personnes attendaient sur le quai, dans l'obscurité. Caterina, de son pas rapide, les avait rejointes.

J'avançai avec précaution, dissimulé dans l'ombre le long du mur. Je trouvai refuge sous la porte cochère où j'avais attendu Caterina le jour de la Fête des Morts. À cette distance, je reconnus quelques visages dans la foule. Je vis les amis de Caterina : Tisiano Naso, Bianca et Angelica, et d'autres que j'identifiais maintenant comme des Barnabotti. Je trouvai assez curieux qu'ils prennent tous le même vaporetto à la même heure. Une série d'hypothèses me traversa l'esprit. Peut-être vivaient-ils tous ensemble en communauté sur une île écartée. Peut-être appartenaient-ils à une sorte de secte religieuse. Car après tout, pour une femme qui baisait comme un beau diable, Caterina était très pieuse. La présence de ses amis allait compromettre mes plans. Même si je parvenais à l'éviter, sur le petit bateau, l'un d'eux me reconnaîtrait sûrement. Je ne pourrais pas la suivre jusqu'au bout du voyage.

Le ciel s'était encore un peu éclairci. L'aube n'était pas loin. Il s'écoula une dizaine de minutes. Le bruit d'un moteur Diesel retentit sur la lagune, et un vaporetto dépassa San Michele, côté Murano. Tous ceux qui attendaient sur l'appontement étaient absolument immobiles, le dos tourné vers la ville, les yeux fixés sur l'obscurité. Le roulement du moteur qui approchait, le vent et les vagues qui venaient s'écraser sur les piliers semblaient alourdir encore le silence du matin. J'avais envie d'entendre une voix, une quinte de toux, n'importe quel bruit pourvu qu'il fût humain.

Le vaporetto s'immobilisa bientôt le long de l'appontement. Le pilote vêtu de noir sauta sur le quai, fixa l'amarre et leva les barrières. Les Barnabotti commencèrent à embarquer. Ils avaient le visage pâle, sans expression. Leurs bras pendaient mollement sur leurs flancs. Il était très tard, ou très tôt, selon le point de vue. Sans doute étaient-ils tous épuisés par leurs excès de la nuit. Une minute plus tard, tout le monde était à bord. On releva la passerelle, et le bateau se lança dans la houle avec une embardée, vers l'ouest encore obscur.

Une pluie fine se mit à tomber. J'attendis le plus longtemps possible, puis je sortis d'un bond de ma porte cochère et courus le long du quai jusqu'à ce que j'aperçoive le panneau sur le côté de la cabine. C'était la ligne 13. Un express, terminus Sant'Ariano. Je n'avais jamais entendu ce nom. Je restai sur le bord de l'appontement, regardai le vaporetto disparaître derrière San Michele, une sensation désagréable au fond de l'estomac. Le moteur Diesel crachota encore un peu, puis il s'évanouit à son tour sous le vent.

35

À l'autre bout du fil, Rinio avait la voix pâteuse, ensommeillée. Il ne comprenait pas ma question. J'entendais sa femme grommeler à l'arrière-plan, et les cris saccadés du bébé.

— Quelle heure est-il, Giacomo?

Je m'éclaircis la gorge, embarrassé.

— Il doit être six heures un quart.

Il mit un instant pour comprendre.

— Tu veux dire : du matin? Six heures du matin?

— Oui, bien sûr, du matin.

— Mon Dieu, tu m'appelles si tôt! C'est dimanche!

— Excuse-moi. Mais c'est important. J'ai besoin de ton aide.

— Il s'agit de la banque, du boulot?

— Non, Rinio. Il s'agit d'amour.

Je compris qu'il se réveillait enfin.

— Tu es cinglé, Giacomo! Retourne te coucher. Appelle-moi plus tard. Elle peut attendre.

— Tu as déjà entendu parler de Sant'Ariano?

Il hésita. Derrière lui, le bébé criait de plus en plus fort.

— Tu es un type vraiment marrant, Giacomo. Est-ce que tous les Américains sont aussi marrants?

— J'ai cherché sur le plan de la lagune. Je ne le trouve pas. Tu sais où se trouve cet endroit? Sant'Ariano?

Il hésita encore.

— Oui, dit-il enfin.

— J'ai attendu un vaporetto pendant deux heures. Il n'est pas venu. Tu peux m'y conduire ?

— Tu veux dire : avec mon bateau ?

— C'est cela. Ton Arkansas Traveller.

— Il fait beaucoup trop froid pour ce genre de balade. Sur mon bateau, il n'y a pas de chauffage, pas de cabine. Attends le printemps, et je t'y conduis.

— Je ne peux pas attendre une minute de plus, mentis-je. Il s'agit de Caterina. Je dois la retrouver là-bas, à Sant'Ariano. Elle s'est enfuie de chez son père.

Rinio resta un moment silencieux. Les bruits de fond du matin couraient sur la ligne téléphonique. Un amalgame d'une douzaine de voix différentes. Enfin, je l'entendis soupirer.

La journée était claire et froide. Le vent avait repoussé vers le large les pluies de l'aurore. Un timide soleil hivernal brillait, à onze heures du matin. Les Dolomites étaient de vagues formes bleuâtres, comme des montagnes dans un rêve. L'Arkansas Traveller fonçait avec un ronronnement régulier sur la surface lisse de la lagune. Nous dépassâmes San Michele, Murano, d'autres îles désolées et sans nom, seulement marquées par les décombres de vieux monuments. Une brise légère soufflait du nord-est, juste assez froide pour me geler les mains. Mes bons vieux gants de cuir se trouvaient au fond d'un coffre, dans le placard de ma chambre, là-bas, en Amérique.

Après une heure de route, nous dépassâmes la côte sous le vent de Torcello, et nous entrâmes dans le goulot nord de la lagune. Rinio fit ralentir le Traveller à la moitié de sa puissance. L'eau peu profonde formait des chenaux étroits et difficilement repérables, encombrés de végétaux à la dérive et de roseaux. L'horizon s'étendait, rectiligne et dépourvu d'intérêt, jusqu'à Altino, sur le continent.

— Tu es tout de même bizarre, Giacomo! (Son souffle formait un nuage de vapeur dans l'air glacé.) Sant'Ariano, par un jour comme celui-ci! Est-ce qu'elle n'est pas, elle aussi, un peu cinglée, cette Vendramin?

Je souris. Je lui servis une chope de café chaud du Thermos, puis une dose de whisky de la demi-bouteille de Vat 69 que j'avais trouvée à demi immergée dans l'eau croupie, au fond de la glacière d'aluminium. Rinio n'appréciait rien tant qu'une bonne intrigue sentimentale, mais physiquement, il était lâche. Que se passerait-il si des ennuis nous attendaient là-bas, des maris courroucés, ou des frères, ou les membres d'une secte? Il valait mieux ne rien lui dire. De toute façon, j'aurais été incapable de répondre à ses questions. Moi-même, je ne savais pas ce que je ferais en arrivant à Sant'Ariano. Chercher le nom de Caterina sur les boîtes à lettres, dans l'annuaire téléphonique local? Demander au café du coin si l'on connaissait son père? La seule chose dont j'étais sûr, c'était que je ne pouvais plus attendre. Il fallait que j'y aille. Le jour même.

— Sache que j'apprécie ton aide, Rinio, vraiment. Je te serai redevable. Un dîner au palais Gritti, une Cadillac neuve, notre premier enfant, tu n'as qu'à choisir.

Il haussa les épaules. Il n'avait pas vraiment l'air de s'en faire. Cette balade dans la lagune, en plein hiver, lui donnait l'occasion de sortir la luxueuse parka violette et les pantalons de ski qu'il ne pouvait emporter sur les pistes cette année-là. Quand le café vint à manquer, nous remplîmes nos chopes du whisky. J'étais très nerveux. Une douce chaleur, qui était le commencement du courage, envahissait peu à peu mon estomac. Les chenaux, maintenant, étaient presque totalement obstrués par les saletés et le bois flottant. Nous avancions au pas. Je dus me pencher à la proue pour écarter les plus gros fragments à l'aide d'un grappin. L'odeur de pourriture semblait monter de la surface de la lagune.

Encore un quart d'heure, et nous empruntâmes un chenal propre, entre deux laisses de vase qui disparaissaient sans doute à marée haute. Rinio désigna un mur inégal de pierre noire qui semblait s'élever au-dessus de la lagune, à quatre ou cinq cents mètres de l'endroit où nous nous trouvions.

— Où est-elle ? demanda-t-il. Je ne vois pas d'autres bateaux.

Je descendis dans le cockpit, et j'essayai de me réchauffer les mains sur le capot du moteur.

— Que veux-tu dire ?

Il me jeta un regard curieux.

— Voilà Sant'Ariano. Nous y sommes presque.

Je me relevai, stupéfait. Nous étions au milieu de nulle part. Il n'y avait que de l'eau, des laisses de vase, des roseaux. Le vent lui-même ne portait pas le moindre cri d'oiseau.

— Mais où sont les maisons ? Les gens ?

Rinio riait presque.

— Il n'y a plus de maisons ici depuis cinq cents ans. Il y a très longtemps, je crois que c'était au *cinquecento*, on a enlevé les maisons, pour faire de la place pour ça.

Il montra à nouveau le mur, au loin.

Je l'examinai. Ça ne ressemblait à rien, ce n'était qu'un tas de ruines comme tant d'autres, qui serait bientôt absorbé par la lagune.

— Il est impossible que ce soit ici.

J'essayais de ne pas montrer ma panique.

— Ce que je veux dire, c'est qu'elle vit ici. Ses amis vivent ici.

— C'est Sant'Ariano, mon ami. Et personne ne vit ici, crois-moi.

— Non, dis-je. C'est impossible.

Rinio haussa les épaules.

— Puisque tu ne me crois pas, allons jeter un coup d'œil.

Nous progressâmes encore une demi-heure à mi-puissance dans le chenal sinueux. Chaque minute se traînait, lourde comme le plomb. Enfin, nous longeâmes un ancien canal presque entièrement obstrué par les roseaux. Il s'avéra que le mur qui se dressait devant nous était le flanc d'une enceinte à moitié effondrée, entourant une étendue de près d'un hectare. Son quai de pierre gisait sous deux mètres d'eau verdâtre. Un ange de marbre noirci au visage funèbre se dressait devant l'entrée principale, dans la boue jusqu'aux cuisses. Derrière lui, les poternes de pierre penchaient en formant des angles bizarres, et la grille elle-même avait été depuis longtemps emportée par la rouille.

Rinio manœuvra le Traveller entre les poternes et coupa le moteur. Le silence régnait à l'intérieur de l'enceinte. Nous dérivâmes un moment, avant de venir cogner doucement contre un tas de branches desséchées. Je m'aperçus tout à coup qu'il n'y avait pas d'arbres alentour. Je regardai autour de moi et je découvris que les branches étaient des ossements humains. Des monceaux et des monceaux d'ossements humains.

— Je crois qu'elle se fout de toi, dit Rinio, et sa voix se répercuta dans le silence environnant. Comme tu peux le voir, il n'y a personne ici ! Personne de vivant, en tout cas !

Il agita les bras pour me montrer le paysage désolé.

J'avais les lèvres bleues de froid. Je pouvais à peine articuler.

— Quel est cet endroit atroce ? demandai-je.

C'était à peine un murmure.

— C'est Sant'Ariano. C'est un *ossuario*, l'endroit où l'on met les os des morts. Venise est très petite, tu vois. Il n'y a pas assez de place pour enterrer tout le monde dans la ville, alors on les enterre à San Michele. Mais San Michele est plein d'os, il n'y a plus de place pour les nouveaux venus. Alors, sauf si ta famille paie très cher, ou si tu es célèbre, ils vident toutes les tombes et les caveaux, et ils viennent déposer ici tous les vieux os. Ce récif tout entier est fait d'os. Il y a tant et tant de gens enterrés ici, beaucoup trop pour qu'on puisse faire le compte. Il y a...

— C'est le seul Sant'Ariano ? l'interrompis-je. Il n'y en a pas d'autre ?

Il secoua la tête.

— Il n'y en a pas d'autre.

— Mais le vaporetto... Je l'ai vue embarquer à bord du vaporetto. C'était la ligne 13, vers Sant'Ariano. J'ai vu la plaque.

Rinio sentit le désespoir pointer dans ma voix.

— Aucun vaporetto ne vient ici, dit-il d'une voix calme. Tu le vois bien. En fait, personne n'est capable de retrouver cet endroit, de nos jours. Moi, je sais. Dans la famille de mon grand-père, ils avaient l'habitude de venir ici la nuit, ils venaient voler les os pour faire du sucre. Ne me demande pas comment, mais ils les faisaient bouillir, ils les broyaient, je ne sais pas. Le sucre, ils le vendaient très peu cher, au kilo, sur le marché du Rialto. Il était infect, oui, très mauvais, mais mon grand-père était un homme très pauvre, un paysan, et il disait : si les morts peuvent nourrir les vivants, alors pourquoi pas ?

Je me penchai par-dessus le rebord et scrutai l'eau boueuse. À quelques centimètres de la surface gisaient les ossements des doges et des courtisanes, des harengères, des enfants, des artistes, des mères, des filles, des prêtres, des plombiers, des gondoliers, des marchands, des mendiants, des amants, des idiots et de tous les autres... Tous les Vénitiens morts depuis des siècles, pourrissant, rongés par les algues, retournant à la fange d'où ils étaient issus. Il y a de nombreuses demeures dans la maison de son père, murmurai-je, et un frisson d'horreur me traversa quand je pensai à la peau de Caterina, si blanche, si dénuée de la moindre imperfection et si froide au toucher. Je me sentis très faible tout à coup, j'avais la nausée. Je m'assis sur les coussins rouges du bateau et me pris la tête entre les mains.

— Giacomo, tu es malade ?

La voix de Rinio me parvenait comme un vague écho. Je compris soudain que j'étais las des vieilles pierres et des églises anciennes, las des murmures tristes de l'histoire, las de tout ce qui n'était pas neuf et brillant, las des pièces de monnaie qui n'avaient pas été frappées la veille, las de tout ce qui n'était pas matière plastique et circuits électroniques, las de Venise et de toutes ses splendeurs disparues, de ses palazzi naufragés, de ses lagunes fétides et des îles envahies par les roseaux, lentement aspirées vers le néant par les marées. Venise était une carcasse pourrissante mangée par les vers, comme le corps d'une femme morte empoisonnée de sa propre main, qui commence tout juste à bleuir et à puer. Je suffoquais. Je ne pouvais pas respirer. Puis je sentis la poigne de Rinio sur mon épaule.

— Il faut partir, dit-il. Il n'y a rien pour toi, ici.

Quand je levai les yeux, je découvris que j'avais le visage trempé de larmes.

Il gloussa gentiment.

— Ah, ce que tu es sentimental ! Je comprends. Elle s'est fichue de toi, la Vendramin. Elle t'a mené en bateau, ha, ha, ha ! Les Vénitiennes sont ainsi, Giacomo, est-ce que je ne t'avais pas prévenu ? Mais dis-toi bien qu'il y a beaucoup d'autres femmes, là d'où elle vient. L'astuce, c'est de leur faire l'amour, pas de tomber amoureux d'elles.

Il reprit ses commandes, fit tourner le moteur et lança l'Arkansas Traveller en marche arrière. Il fallut sortir lentement à reculons, passer le porche d'eau et doubler l'ange de pierre au visage funèbre (en qui je reconnus cette fois l'ange de la mort), puis faire demi-tour dans des eaux plus profondes. Bientôt les canaux étroits laissèrent la place à l'étendue ouverte de la lagune. Le vent était tombé et l'après-midi était légèrement plus doux. Mais le temps était encore froid et clair. Un vol de colverts passa au-dessus de nous, un grand V qui se dirigeait vers le sud. Je n'étais pas d'humeur à converser, et Rinio alluma la radio. Une fille qui ne semblait pas avoir plus de quatorze ans chantait un air de pop music italienne pleine d'allant. Rinio l'accompagna en fredonnant.

Nous filâmes pleins gaz dans le chenal élargi, et nous dépassâmes à nouveau Torcello et Burano. Venise s'éleva comme une cité de rêve sur l'horizon rose, jaune et sépia au-dessus de l'eau vert foncé, ses flèches et ses dômes étincelant sous le soleil hivernal. Je décidai soudain de ne rien savoir des choses inexplicables que j'avais vues. Je décidai d'oublier Caterina et tout ce qui s'était passé ici. S'il est une chose que la vie nous enseigne, c'est bien l'oubli.

ÉPILOGUE

Je me suis assis sur un banc de pierre pour déjeuner, dans un bosquet de pins des Thuya Gardens, juste au-dessus de Northeast Harbor, dans le Maine. Les langoustiers et les yachts blancs mouillent côte à côte dans le joli petit port, en contrebas. Le bruit de la circulation sur la 93 me parvient, comme un vague bourdonnement d'insectes satisfaits. La brise de mer m'apporte le tintement d'une balise lointaine. Mon déjeuner se compose d'un sandwich à la mayonnaise et au contenu indéfini, d'une pomme, d'un sachet de chips barbecue et de deux macarons. Je déballe le sandwich, aussi soigneusement qu'un gosse de six ans le jour de la rentrée. Je mords dedans, puis j'ouvre mon sachet de chips et j'en grignote quelques-unes. La journée est radieuse, et je suis singulièrement satisfait de mon déjeuner d'écolier. Il a fait plutôt froid, ces derniers temps — beaucoup plus froid qu'à Venise —, mais la météo annonçait ce matin que la température pourrait monter à 15 °C, et l'air est si pur, si frais et si sain que je le vois presque étinceler, comme un torrent de diamants, au rythme de ma respiration. Je suis descendu du gîte jusqu'à ce banc devant le panorama pour manger mon sandwich et profiter du soleil. Tout à l'heure, je remonterai la côte et je reprendrai mes lectures. Telle est ma nouvelle

214

vie. Je déjeune tout seul et je passe mes journées à lire des livres sur la bière.

Le gîte de Thuya Gardens possède une importante bibliothèque spécialisée dans les sujets agraires, comme le jardinage, l'élevage, la fabrication du vin et le brassage de la bière. Quatre-vingt-treize titres sont recensés dans le catalogue, sous la référence « Brassage de la bière », et j'ai l'intention de lire la plupart d'entre eux avant la fin de l'été. Voilà pourquoi je suis dans le Maine. Je vais lancer une brasserie artisanale en association avec un de mes vieux camarades de Saint-John, qui habite à Bar Harbor. J'ai investi dans l'affaire la totalité de mes biens. L'État du Maine est l'endroit rêvé pour installer une brasserie, les lois y sont clémentes, l'eau pure et la main-d'œuvre bon marché. On y trouve vingt-trois brasseries indépendantes prospères, y compris quelques-unes dont les marques sont présentes dans tous les États-Unis : Geary's, Salty Dog, Lightship et Penobscot, respectivement une ale, un lager, un porter et un stout. Nous ne savons pas encore très bien quel type de bière nous produirons. Mon associé penche plutôt pour une ale forte à la manière belge, produite par une fermentation basse traditionnelle.

À la fin de l'été, quand j'aurai lu tous les livres disponibles, nous aurons une idée plus précise de la situation. Alors que je grignote mon sandwich sur ce banc de pierre, il est à Boston. Il étudie les conditions d'achat du matériel dont nous avons besoin — brassins de cuivre géants, filtres, cuves de fermentation et de refroidissement, fûts de stockage, pompes réfrigérantes, grils pour le houblon, etc. —, afin de lancer la production dès l'automne. Je prends la bière très au sérieux, maintenant. Comme je prends toujours ce que je fais au sérieux. Avec six cent soixante-quinze dollars en banque, je n'ai pas le choix.

Plusieurs mois ont passé depuis mon retour de Venise. Nous sommes en juin. Aux élections d'avril, la coalition de l'Olivier de Prodi a raflé 284 sièges de députés sur 630 et 167 sièges de sénateurs sur 315. Ce résultat est une victoire serrée sur l'Alliance pour la Liberté de Berlusconi et ouvre un nouveau chapitre de l'histoire politique italienne. Devant le quartier général de l'Olivier, à Rome, Prodi a adressé des mots très simples à ses partisans comblés : « Restons calmes ! » Un conseil que j'ai pris à cœur. Dans mon dernier rapport à Capitol Guaranty, que j'avais expédié de Venise en février, j'avais prédit la victoire indiscutable de l'Olivier. Mais la banque, en la personne de Ted Bulley, ne m'a pas écouté.

Un simple coup de fil, très sec, mit fin à mes dix ans de carrière de *trader*. Bulley avança tous les prétextes habituels pour me mettre à la porte : volume de transactions minable, rapports d'actualité hors sujet...

— Tu as lu le dernier ? l'interrompis-je.

— Non, je n'ai pas besoin de le lire. (Soudain, il avait abandonné le ton professionnel. Je compris qu'il me haïssait autant qu'il était possible de haïr un homme qui n'est ni votre ami ni votre ennemi.) Je ne saurai jamais ce que tu as dit à Warren après mon départ, l'autre fois, à Milan. En tout cas, quand il est rentré à l'hôtel, c'était un homme brisé. Il avait l'air malade, vieux, gris. D'un seul coup, comme ça ! Mon idée, c'est que ça venait de quelque chose que tu lui as dit. D'habitude, je compatis pour les nullards que la banque décide de liquider. Mais pas pour toi, espèce de salopard. Te foutre à la porte me fait bander.

Je décelais la haine dans sa voix, l'ambition et la cupidité tapies au fond de lui. En fermant les yeux, je voyais le travail patient d'autodestruction de son corps, ses intérieurs aigrissant lentement, comme du lait qui tourne.

— Si tu ne fais pas gaffe, Ted, lui dis-je avec une voix aussi convaincante que possible, tu finiras comme Warren. Dans la douleur, et en te demandant pourquoi. Tu es déjà à mi-chemin. Fais-moi confiance, je connais ces choses-là. Je raccrochai sans lui donner le temps de laisser libre cours à sa hargne et à son arrogance.

La fin de Ted Bulley arriva plus tôt que je ne pensais. Ce n'était pas sa mort physique, mais sa mort professionnelle — ce qui, à ses yeux, était bien pire. Deux jours avant les élections italiennes, sur sa recommandation, le conseil ordonna aux *traders* de Capitol Guaranty de se défaire de la contre-valeur de vingt milliards de dollars en lires italiennes. Bulley avait pronostiqué, à juste titre, la victoire de la gauche. Mais il avait aussi prophétisé que cette victoire provoquerait une panique des milieux économiques. Il avait tort. L'enthousiasme des Italiens à l'égard de leur nouveau gouvernement était contagieux. Et cette contagion se répandit comme un feu de paille sur les marchés financiers du monde entier. Qui peut dire qu'il n'aime pas l'Italie, après tout — sa nourriture, ses vins, ses femmes, son climat et ses monuments — et qui souhaite autre chose que son bien ? Au lendemain des élections, la lire remonta en flèche et retrouva sa parité de 1980 vis-à-vis du dollar. La banque essuya une perte sévère. Pour le dire crûment, Comparini se retrouvait le cul nu. Elle perdit un sacré paquet d'argent.

Je suivis tout le fiasco dans les pages financières du *Boston Globe*. En ce moment même, des têtes sont en train de tomber, à haut niveau. Celle de Bulley a sans doute été la première. La rumeur prétend même que Comparini International pourrait être absorbé par la puissante Tobiko Bank of Japan. Mais tout cela ne m'intéresse plus. J'ai vendu mon appartement d'Arlington Mews, mon coupé Saab Turbo, tous mes costumes à huit cents dollars sauf un. Je loue le rez-de-chaussée d'une petite maison du début du siècle à Bar Harbor. Mon associé loue l'étage, et la propriétaire, une vieille dame connue sous le nom de Mme Lawrence, loge à l'arrière. Ma vie, maintenant, c'est la bière.

La bière est un sujet beaucoup plus compliqué

qu'on ne le pense. La bière, j'aime à le répéter, est une science. Et comme la plupart des sciences, c'est aussi un art.

« Il est peu discutable que chaque nation ait su élaborer le type de bière qui convenait le mieux à son climat et au tempérament de son peuple », écrivent J.L. Baker et P. Schidrowitz dans leur grand classique, *Les Ales légères*. Ces deux auteurs savaient reconnaître la sagesse quand ils la découvraient au fond de leur verre. La bière serait aussi l'une des plus anciennes entreprises humaines. Dans *La bière : une brève histoire*, Arthur Doemens remonte sa piste jusqu'aux premiers jours de la civilisation. Selon lui, elle pourrait même avoir une responsabilité dans la naissance de ladite civilisation ! « L'effort collectif nécessaire à la production de la bière, affirme-t-il, a donné à l'homme primitif une raison impérieuse d'espacer les guerres continuelles et de modérer la méfiance mutuelle qui gouvernait ces temps reculés. Une bonne raison de s'éloigner un peu de ses armes, de pousser de l'épaule les moulins à broyer et de mettre la main aux cuves de fermentation. »

L'éloge est sans doute exagéré. Mais des archéologues ont découvert récemment, en Égypte, les décombres d'une brasserie vieille de huit mille ans. Je suppose qu'en un sens on peut aussi reprocher à la bière toutes les malheureuses et complexes innovations qui ont suivi, y compris les épingles de sûreté, les dessous féminins et Internet... Voire l'effondrement imminent de Capitol Guaranty.

Les nuits de printemps sont fraîches, et favorables au sommeil. Mes insomnies reculent comme une marée funeste. Désormais, je dors presque chaque nuit au moins cinq ou six heures d'affilée. Mais mon sommeil est toujours troublé par des cauchemars, où apparaît souvent un amalgame bizarre d'images érotiques et morbides. Je rêve du corps blanc de Caterina étendu sous le mien. Nous faisons l'amour dans des tombes poussiéreuses pleines d'ossements, sur des pierres tombales renversées dont les inscriptions ont été effacées par le temps, dans des cercueils brisés et tapissés de soie, à l'arrière de corbillards filant vers des ossuaires en ruine au milieu de la baie du Français. Je suis souvent aussi visité par Elizabeth, le chat favori du monde des esprits.

Ici, dans le Maine, ce n'est pas l'horreur humide et pourrissante de mes cauchemars de jadis. C'est une chatte ordinaire au poil soyeux, échappée des griffes de la mort et de ma boîte de biscuits percée de trous. Elle est toujours chaude et douce et, on ne sait trop comment, elle est douée de parole. Elle parle avec la voix de ma mère, et les mots sont toujours les mêmes :

— Rien ne sera plus jamais comme avant, pour toi. Tu as bu le vin des morts, tu as partagé leur repas, tu as couché avec eux et accepté leur étreinte glacée, tu as...

À ce point du rêve, je colle mes mains sur mes oreilles et je me mets à hurler. Il est arrivé au moins une fois que mes cris soient réels. Ils ont réveillé la vieille Mme Lawrence, qui dormait dans la chambre du fond. Elle a cogné sur le mur avec sa canne à embout de caoutchouc. Je me suis levé — j'avais la nuque glacée, et la transpiration collait ma veste de pyjama à mon dos —, et j'ai lu jusqu'à l'aube, à la table de la salle à manger, de vieux numéros de *Beer Digest*.

Je suis sûr que Mme Lawrence ne m'aime pas beaucoup. Elle ne tolère ma présence chez elle qu'à cause de mon associé, qu'elle aime comme le fils qu'elle n'a jamais eu. Elle pense que je suis dingue, ou alcoolique, ou pire encore. Elle s'imagine que j'ai quelque grave péché sur la conscience, qui m'empêche de la regarder dans les yeux. C'est vrai, je ne la regarde pas dans les yeux, parce que je n'ai pas envie de connaître le moment précis où elle tombera raide morte. Je crains que le don de prémonition que j'ai acquis en faisant l'amour avec Caterina (comme une maladie

219

vénérienne métaphysique) ne disparaisse jamais. Alors j'évite les vieillards et les chambres de malade. Lorsque mon associé s'est brisé la hanche en tombant d'une échelle, à l'entrepôt que nous venons de louer, je ne lui ai pas rendu visite à l'hôpital.

Cet ultime jour d'hiver à Venise — le jour de notre sortie dans la lagune —, j'ai fait le vœu d'oublier tout ce qui concerne Caterina. Mais c'est impossible, bien entendu. Je suis plus déterminé que jamais à percer le mystère qui l'entoure. Quand je ne lis pas des livres sur la bière, je plonge dans ma bibliothèque personnelle, de plus en plus importante, d'ouvrages concernant Venise. Je les achète, depuis le mois de mars, chez des bouquinistes de Washington, New York et Boston. Je possède plus de quarante-cinq volumes traitant de l'histoire, de l'art et de l'architecture de Venise, y compris des exemplaires de livres rares comme *Considerazioni sulle censure* et les *Maximes* de Sarpi, la *Vie de Sarpi* de Pascolato, *Vie et Correspondance de Sir Henry Wooton, ambassadeur auprès de la Serenissima, Le Voyageur infortuné* de Thomas Nashe, l'*Histoire de la littérature vénitienne* de Foscarini, les *Remarques sur quelques régions d'Italie* d'Addison, les *Mémoires* de Goldoni, *Images d'Italie* de Dickens, *Pierres de Venise* de Ruskin, *Rêves, pensées éveillées et incidents* de Beckford, pour n'en citer que quelques-uns.

Enfin, il y a la lettre — une seule feuille d'épais papier à lettres pliée en deux et fermée avec le sceau de cire rouge familier. Elle m'a été réexpédiée il y a trois mois par le Palazzo Bragadino. Le papier à lettres porte encore les derniers vestiges de son parfum, l'odeur légère et érotique des lis funéraires. Les mots ont été écrits avec une encre pâle qui s'évanouit déjà. Elle a une curieuse écriture ornée que j'ai l'intention de soumettre un jour à un expert en graphologie.

Jack, mon chéri,

Pardonne-moi, mon chéri, si tu as essayé de me retrouver, ou de retrouver l'endroit où je suis. Mais tu ne dois plus jamais me revoir. Je n'ai pas pu m'empêcher de t'envoyer ces derniers mots, seulement pour que tu ne me haïsses pas trop. Mon Père m'a ordonné de partir, et je dois m'en aller. Je n'ai pas le pouvoir de Lui désobéir. Je suis triste de ne pas te revoir et je suis triste que personne ne nourrisse les chats quand je serai partie. Un jour, tu m'as demandé si j'étais mariée. La réponse est oui et non, à la fois. Je ne peux m'expliquer mieux que cela, j'en ai déjà trop dit. Mais tu dois savoir que je pense toujours à toi. Tu as fait revivre mon cœur et je t'en suis reconnaissante. Tu m'as donné le seul plaisir que j'aie connu depuis de nombreuses années. Oublie-moi, et laisse-moi à mes ténèbres. Je suis lasse, maintenant.

Ti amo, Caterina.

D'un côté, comme elle le suggère elle-même, Caterina restera à jamais le plus profond des mystères. Par ailleurs, si je renonce à quelques-unes des convictions qui ont régi toute mon existence rationnelle — Dieu n'existe pas, l'univers est un endroit dénué de sens et livré au hasard, les morts restent morts à jamais —, certaines explications complexes en découlent, dont Paolo Sarpi est toujours le tenant et l'aboutissant.

Caterina, Tisiano Naso et les autres Barnabotti disaient de lui que c'était un saint. C'était peut-être le cas, bien qu'il ne soit pas reconnu comme tel par l'Église catholique. Aucun miracle ne lui est attribué, mais la dague empoisonnée dont l'ont frappé les assassins papistes, et qui lui a déchiré la joue, a été essayée sur un chien qui a crevé sur-le-champ. Sarpi a combattu les iniquités de ce monde toute sa vie durant. Il a combattu l'Inquisition, la tyrannie dogmatique de Rome, la vente des bénéfices et toutes les corruptions d'une ère de pratiques religieuses dévoyées et de papes pires encore. Il a consacré toute son existence à autrui et l'a placée sous le signe d'une trinité inattendue : Dieu, la recherche de la vérité, et Venise.

On a dit que Sarpi aimait sa ville natale comme jamais un homme n'a aimé un lieu. S'il était contraint de quitter les îles du Rialto pendant plusieurs jours, il sanglotait, il était physiquement malade. Sarpi aimait tant Venise, s'il faut en croire son biographe Micanzio, qu'il aurait été capable de convaincre Dieu qu'elle était plus belle que le paradis. En un sens, c'est peut-être ce qui s'est passé. Sur son lit de mort, en 1623, on entendit Sarpi murmurer une prière pour sa cité bien-aimée. « *Esto perpetua.* » Puisse-t-elle vivre à jamais. Ce furent ses derniers mots. Dieu a pour habitude d'exaucer les dernières volontés de Ses saints. Regardez Venise de nos jours. Le singulier miracle de Sarpi est évident. Les pilotis qui soutiennent la plupart des immeubles vénitiens sont complètement décomposés. Des relevés de sonar publiés récemment par le *National Geographic* montrent l'étendue des dégâts. Plusieurs fois par an, les grandes marées viennent ronger ses ruelles et ses campos. La ville doit subir également les effets combinés de la pollution chimique, des pluies acides, et du mouvement des bateaux à moteur qui ébranle ses fondations en train de se désagréger. Mais elle s'élève toujours au-dessus de la lagune au mépris de la gravitation, des lois de la physique et du temps. Comme si elle était soutenue par des chaînes d'or tombant des cieux.

Mais, comme Rinio me l'avait dit un jour, qu'est-ce qu'une ville, sinon les gens qui la peuplent ? Que serait Venise sans la race unique, inventive, qui l'a fait surgir de la vase et des roseaux de la lagune ? Pourquoi Dieu voudrait-il sauver une ville livrée aux touristes ? Il est vrai que les Vénitiens ne sont plus qu'une poignée. Je veux parler de ces citoyens dont les aïeux appartiennent, depuis au moins cinq générations, à la

222

longue histoire de Venise. Et ils sont les seuls à s'élever entre Venise et son avenir (inévitable et monstrueux) comme le prochain Euro Disney. Et pourtant, miraculeusement, Venise est toujours Venise. Comment est-elle parvenue à rester elle-même, en dépit des ravages de Coca-Cola, des touristes et des autres affronts du xxᵉ siècle ?

Si je pousse mon raisonnement à son terme, la réponse est sinistre, macabre et ridicule. Si le devoir des Barnabotti, jadis, était de servir Venise durant leur vie, pourquoi pas après leur mort ? Tant qu'il restera des Barnabotti, Venise survivra. Ils sont l'âme immortelle de la cité. Ils incarnent ses quinze cents ans d'histoire, ses triomphes et ses gloires, et son long et splendide déclin. Tout ce qui a rejoint inexorablement le passé. La vie après la mort me semble une idée épouvantable, bien qu'il y ait sans doute, à mon avis, des lieux moins agréables que Venise pour passer ses années de purgatoire.

Mais pour Caterina et les autres, Venise doit ressembler à un grand parc d'attractions grinçant, dont tous les manèges sont à jamais fermés pour réparations. Ils parcourent ses ruelles sombres et ses palazzi en ruine, en priant pour être libérés, dans l'attente désespérée d'un sommeil définitif. Les souvenirs de leur vie flottent comme un rêve vague et ancien. Ils sont de chair, mais pas tout à fait. On leur autorise quelques plaisirs — un ou deux verres, des jeux de hasard, quelques bouffées de hasch, une aventure amoureuse — pour rendre supportable l'ennui abrutissant des siècles qui passent.

Contrairement à Sarpi, je ne suis pas théologien. Je n'ai qu'une connaissance très limitée de la métaphysique, c'est le moins qu'on puisse dire. La chair morte qui ressuscite, pour moi, c'est bon pour les films d'horreur et pour la Bible. Je me suis dit qu'il valait mieux prendre l'avis d'un spécialiste.

Saint-Michael, à Bar Harbor, se trouve à deux pas de chez moi, passé le coin de la rue. Cette petite église catholique de brique rouge est au service des quelques paroissiens qui restent sur Mount Desert Island après le départ des estivants. Le père Ian McBride est un immigré d'Irlande de fraîche date. Après avoir quitté la bibliothèque de Thuya, aujourd'hui, j'enfile la seule veste sport qui me reste — un plaid décontracté — et je vais lui rendre visite. L'après-midi est doux et clair. Les mouettes crient dans le ciel, au-dessus de moi. J'entends la corne sourde du *Bluenose*, le ferry de Nova Scotia, qui monte de la rive au bas de Main Street.

Je trouve le père McBride, en blue-jean et T-shirt, à genoux dans son jardin. Le presbytère est un petit cottage jaune isolé de la rue par une haute haie de buis anglais. Il est en train de semer un nouveau parterre de fleurs : impatientes, pétunias, soucis. Quand il me voit apparaître au coin de la haie, il se relève, brosse la terre de ses genoux, et ôte ses gants de jardinage avant de me tendre la main. C'est un homme élancé, d'une quarantaine d'années, qui parle avec un léger accent chantant de Dublin. Il a les cheveux blond roux et les yeux d'un bleu délavé. Je me présente comme catholique. Nous bavardons de fleurs, de vers de terre et du temps qu'il fait. Enfin, j'en viens au motif de ma visite.

— Mon père, je me demandais... (Je suis un peu embarrassé.) Je me demandais si vous pourriez répondre à quelques questions théologiques.

Il fronce les sourcils.

— Théologiques ? Que voulez-vous dire ?

Je louche vers la forme sombre de Cadillac Mountain, puis mes yeux reviennent vers la terre fraîchement retournée, à mes pieds. Je ne sais pas par où commencer.

Le père McBride me pose une main sur l'épaule.

— Vous devriez venir à l'intérieur.

Nous franchissons la porte-écran et entrons dans la

cuisine de la petite maison. La pièce immaculée vient directement des années cinquante. J'aperçois un gros poêle de céramique Sears Kenmore, un vieux Frigidaire avec serpentin de refroidissement sur le dessus, et une table de Formica turquoise et tube chromé avec quatre chaises assorties. Au-dessus du poêle, sur le mur, quelqu'un a accroché une reproduction en trois dimensions de la Cène, dans un cadre de plastique beige.

— Je dois avouer que ce n'est pas exactement de mon goût, déclare le père McBride. Mais je me sentirais un peu coupable si je le décrochais.

Il prépare du café sur le poêle, dans un pot d'aluminium cabossé, et en sert deux tasses qu'il pose sur la table de Formica. Nous nous asseyons et buvons en silence. Enfin, il se laisse aller en arrière et attend que je parle.

Je lui parle de Caterina, de Venise, de l'étrange épilogue de notre aventure, et de mon nouveau don. Il m'écoute sans faire de commentaires, sans manifester de surprise ni d'incrédulité, ses yeux bleus sont indéchiffrables. J'ai le sentiment qu'il a entendu pas mal d'histoires bizarres depuis qu'il fait son métier.

— Alors, mon père, est-ce que vous pensez... (Je suis incapable de trouver des mots moins dramatiques.) ... que les morts peuvent revenir à la vie, que des os tombés en poussière peuvent se recouvrir de chair et marcher à nouveau ? Que la bouche des morts peut parler ? Et pensez-vous...

Les mots restent coincés dans ma gorge. Quand ils sortent enfin, ils ne sont qu'un murmure.

— ... Et qui, selon vous, est capable de réaliser cet épouvantable miracle ?

Le prêtre garde le silence un moment, réfléchissant. Puis il se redresse et joint les mains sur la table. Un geste que je connais depuis l'école catholique.

— En tant que bons chrétiens, nous devons croire que le Seigneur, dans Son infinie sagesse, peut faire beaucoup de choses incroyables à nos yeux, et qui peuvent nous sembler contraires aux lois de la nature, dit-il d'une voix claire, à peine pontifiante. Rappelez-vous les murs de Jéricho s'écroulant au son d'une simple trompette. Rappelez-vous comment il arrêta le soleil dans sa course diurne, pour le bénéfice de Josué et des Juifs. Et rappelez-vous cet autre épisode que nous connaissons tous si bien, qui Le vit harceler l'enfer lui-même pour ramener Son fils unique de la mort et lui faire retrouver le monde des vivants.

« Contemplez ces mystères, si vous voulez, monsieur Squire. Mais je m'empresse d'ajouter que si vous le faites dans l'espoir d'y trouver une explication rationnelle, vous commettez une très grave erreur. Les expériences bizarres que vous avez vécues à Venise appartiennent peut-être à cette catégorie. L'inconnaissable. Et le mieux que nous, pauvres pécheurs, puissions réaliser en face de l'inconnaissable, c'est de faire confiance à Dieu et de multiplier nos efforts pour mener une vie belle et digne. À partir de là, je vous recommande de vous préoccuper de questions plus concrètes.

Il s'interrompt, le visage un peu rouge, et inspire à fond. Comme beaucoup de prêtres modernes, il n'est pas à l'aise quand il parle de Dieu.

— Je veux vous poser une question. Appartenez-vous à cette paroisse ?

— J'habite juste au coin de chez vous, si c'est ce que vous voulez dire.

Le père McBride semble vexé.

— Ce n'est pas du tout ce que je veux dire. Ce que je veux dire, c'est que nous voulons voir votre cul posé sur le banc de notre église, à la messe, dimanche. Tous les dimanches. Et avant de pouvoir assister à la messe, il faudra venir à confesse. Ce qui est possible, sachez-le, le mercredi de dix à quatorze heures. Parce que si vous avez eu des relations sexuelles avec cette Vénitienne, hors du sacrement du mariage, c'est de l'adultère pur et simple, même si elle était morte au

moment des faits. Et l'adultère est un péché mortel.
Vous comprenez ?

Après un instant d'embarras, je marmonne que oui,
je comprends. En souriant, il me fait promettre de
venir à confesse mercredi prochain. Nous ressortons
dans le jardin, et il m'accompagne au bout de l'allée
de gravier, jusqu'au trottoir.

— Que venez-vous donc faire parmi nous ? me
demande-t-il, comme si l'idée l'intriguait après coup.

— Vous voulez dire ici, à Bar Harbor, dans le
Maine ?

— Oui. Je suis toujours heureux de savoir ce que
font mes *paroissiens*, dit-il en appuyant le dernier
mot.

— Je suis ici pour fabriquer de la bière. Mon associé et moi, nous allons lancer une brasserie artisanale.
Nous avons déjà loué un entrepôt à Town Hill. En ce
moment même, il est à Boston pour estimer le prix de
notre matériel.

Son regard s'éclaire.

— Ah, la bière, n'est-ce pas ? Je suis un grand ama-
teur, et je ne crache pas sur une bonne pinte de temps
en temps... Avec modération, bien sûr.

— Bien sûr.

— Et quelle sorte de bière avez-vous l'intention de
fabriquer ?

Je hausse les épaules.

— Une lager, peut-être. Ou une ale à la belge. Ou
un stout, peut-être. Nous n'avons pas encore décidé.

Le prêtre se gratte le menton, réfléchit.

— Eh bien, si vous me demandez mon avis... J'ai
envie d'un bon stout bien épais.

Nous nous serrons la main, et nous en restons là.

Cet ouvrage a été composé
par l'*Imprimerie Bussière*
et imprimé sur presse Cameron
dans les ateliers de
Bussière Camedan Imprimeries
à Saint-Amand-Montrond (Cher)
en janvier 1999

N° d'édition : 6712. N° d'impression : 2714-985640/1.
Dépôt légal : février 1999.
Imprimé en France